# Paisagem Brasileira  Brazilian Landscape

# Paisagem Brasileira Brazilian Landscape

## Araquém Alcântara

olhar brasil

São Paulo, 2010

METALIVROS

Projeto, Coordenação Editorial e Gráfica
Project, Editorial and Graphic Coordination
**Ronaldo Graça Couto**

Fotografia e Texto
Photography and Text
**Araquém Alcântara**

Edição de Texto
Text Editing
**Bianka Tomie Ortega**
**Paulo Thomaz**
**Ronaldo Graça Couto**
**Tatiana Costa**

Legendas
Captions
**Araquém Alcântara**
**Aziz Ab´Sáber**

Direção de Arte e Projeto Gráfico
Art Director and Graphic Project
**Dora Levy**

Versão para o Inglês
English Version
**Charles Holmquist**

Gerência Editorial e Gráfica
Editing and Graphic Management
**Bianka Tomie Ortega**

Assistência de Design/Diagramação
Design/Layout Assistant
**Eliana Tachibana**

Revisão de Texto
Proofreading
**Across the Universe Communications**

Produção Gráfica
Graphic Production
**Metalivros**

Assistente Administrativo
Administrative Assistant
**Marlos Ruiz Ortega**

Secretaria
Secretariat
**Roberta Vieira**

Distribuição e Vendas
Sales and Distribution
**Marcia Lopes**

Escaneamento, Provas, Arquivos Digitais, Impressão e Acabamento
Scanning, Proofs, Digital Archives, Printing and Binding
**Pancrom Indústria Gráfica Ltda., São Paulo**

# Sumário Contents

**prefácio** preface

Descobri Araquém Alcântara em 1987, quando procurava alguém que tivesse o melhor arquivo sobre a Jureia para ser o principal autor das imagens de um livro sobre a reserva, com texto da histórica ecologista Judith Cortesão. Fui apresentado a esse grande artista por meu hoje velho amigo Fausto Pires de Campos, incansável militante ambientalista, que me pôs em contato na época com a nata daqueles que lutavam nas trincheiras da preservação da natureza no Estado de São Paulo. Desde então, Araquém tornou-se também um grande companheiro. Quando me mudei para São Paulo, onde a Metalivros foi fundada há treze anos, Araquém tornou-se frequente colaborador de nossas edições, mas nunca com um trabalho autoral individual.

Desse modo, após tanto tempo, voltamos a nos aproximar profissionalmente com a publicação de **Paisagem Brasileira,** oferecida ao leitor num corte temático de forte caráter autoral. Depois de um pouco relutar, Araquém entregou-se totalmente à proposta de reunir em obra um retrato do Brasil natural por meio das mais belas e significativas paisagens retratadas em sua estrada, desde 1973. Aceitou também assinar o texto, que o remete à abandonada missão de repórter, desta vez de si mesmo, para contar lembranças e nos iluminar com sua filosofia de vida, além de trazer dicas básicas da fotografia de paisagens naturais. Depois de quatro meses de trabalho editorial, para a

I discovered Araquém Alcântara in 1987, when searching for the best image archive that could be found, as well as for the main photographer for a book on the Jureia Reserve, with texts by the historic ecologist Judith Cortesão. I was introduced to this great artist by my now old friend Fausto Pires de Campos, untiring militant environmentalist, who at the time put me in contact with a select group of those who fought in the trenches of nature preservation in São Paulo State. Since then, Araquém has also become a true companion. When I moved to São Paulo, where Metalivros was founded thirteen years ago, Araquém became a frequent collaborator in our editions, but never with a book of his own.

Consequently, after so many years, we once again began to work together on the publication of **Brazilian Landscape,** offered here to readers with the author's own expressive thematic slant. After a little initial resistance, Araquém put body and soul into the proposition of uniting a portrait of Brazilian nature as seen in the most beautiful and significant landscape pictures taken since 1973. He also accepted to write the text, which evoked the recollection of his abandoned mission as a reporter, this time of he himself, to share his memories and illuminate us with his philosophy on life, besides providing us with basic tips on taking pictures of natural landscapes. After four months of editing work to select more than 200 photographs, among the more than 200,000 from his precious archives put together over the last three

**Pantanal, MT**
Garças compõem o cenário alado do Pantanal Mato-Grossense

**Pantanal, MT**
Herons are a typical part of the scenery in the Mato Grosso Pantanal

seleção de mais de 200 fotografias entre mais de 200.000 de seu precioso acervo profissional formado nessas três décadas, e de muita conversa com a equipe, chegou-se a um resultado absolutamente original e consistente, tanto em termos artísticos como documentais.

**Paisagem Brasileira** é uma síntese da obra de panoramas de Araquém, que por sua vez é uma síntese da fantástica variedade da natureza brasileira. Logicamente, a obra não retrata todas as paisagens dignas de constar num livro sobre o tema, mas representa, sim, a maior parte das tipologias ecopaisagísticas aqui encontradas. No Brasil de Araquém, o encanto da natureza muitas vezes está ainda intocado, e aqueles que nela vivem surgem como seres quase que perfeitamente integrados ao meio ambiente. No cenário construído pelo olhar do autor editado nesta obra, as cidades e as pessoas quase sempre aparecem ao longe como uma vaga lembrança da realidade da vida dos homens. Esse corte mostrou-se essencial para reforçar o caráter do livro, que procura reproduzir a mesma busca pela beleza da luz sobre a natureza brasileira assumida pelo autor na obra como um todo.

Limitamo-nos às imagens paisagísticas exatamente por opção editorial. Temos certeza de estar oferecendo uma publicação que marcará a visão dos leitores sobre esse vasto tema e certamente destacará a trajetória de Araquém como um dos mais importantes e reconhecidos fotógrafos

decades and after much discussion with the publishing team, an absolutely original and consistent result was reached, both in artistic as well as documental terms.

**Brazilian Landscape** is a synthesis of Araquém's work with natural landscapes, which in turn is a synthesis of the fantastic variety found in Brazilian nature. Logically, the book does not portray all the landscapes worthy of being included in a book on this subject, but it does represent the larger part of eco-landscape types found here. In the Brazil of Araquém the beauty of nature is often untouched, and those who live there appear as beings perfectly integrated into the environment. In the scenario constructed by the author's mind-eye, found published in this book, cities and people almost always appear in the distance as if a vague memory of the reality of man's life. This aspect has shown itself essential to reinforce the book's character, which seeks to reproduce the same search for the beauty of light on Brazilian landscapes as endeavored by the author in the book as a whole.

In this book, we have limited ourselves to landscape images as an editorial option. We are sure to be offering a book not to be easily forgotten by our readers of this vast theme and which will certainly bring recognition to Araquém's trajectory as being one of the most important and distinguished nature photographers in Brazil at the moment. The book is presented in a modern format and structured

de natureza da atualidade, publicada em formato moderno e estruturado regionalmente, visando facilitar a compreensão daqueles que percorrerão as páginas que se seguem numa viagem inesquecível pelo Brasil.

Agradecemos especialmente à inestimável e graciosa colaboração do professor Aziz Ab'Sáber, o maior geomorfologista brasileiro da atualidade e grande amigo, pelos pertinentes comentários, os quais agregaram conhecimento científico à elaboração das legendas, realçando o valor do livro para todos os leitores/viajantes.

A presente obra constitui-se no primeiro volume da série **Olhar Brasil,** por meio da qual a Metalivros se propõe a levar sistematicamente a público a obra resumida de grandes nomes da fotografia contemporânea produzida no país, com foco no registro autoral e documental deste vasto território biodiverso, visto nos mais ricos aspectos ecogeográficos e culturais.

Esperamos com a iniciativa difundir através dos olhos muito especiais desses caçadores das belezas do Brasil, por meio da estética e da plasticidade das imagens e experiência de vida, os mais ricos valores que nos movem a lutar pela preservação da natureza qualidade geral de vida

regionally, seeking to facilitate understanding by those who will peruse the pages which follow in an unforgettable journey through Brazil.

We would like to offer our special thanks to the priceless and gracious collaboration of Professor Aziz Ab'Sáber, the most important geomorphologist in Brazil today as well as dear friend, for his pertinent commentaries which add scientific information to the photo captions, enhancing the value of this book for all its readers/explorers.

This book is the first volume of the **Olhar Brasil** serie, in which Metalivros proposes to systematically present to the public a condensed selection of the work of well known contemporary photographers produced in the country, with a focus on the documental and author's register of this vast biodiverse territory, as seen in its richest eco-geographical and cultural aspects.

We hope to be able with this initiative reveal, through the special perspective of these hunters of Brazilian beauties, and divulge through the aesthetics and plasticity of their images and life experiences, the noblest values which induce us to fight for the preservation of Brazilian nature and an overall increase in the quality of living standards for its inhabitants.

**Ronaldo Graça Couto**
Metalivros

# **introdução** introduction

## Tornar-se Fotógrafo de Natureza

Queria ser escritor já aos 14 anos. A fotografia me pegou de surpresa, aos 21, quando assisti a *Ilha Nua*, de Kaneto Shindo, numa sessão maldita que o francês Maurice Legeard organizava na cidade de Santos, litoral de São Paulo. O filme, um clássico japonês, era inteiro zen, quase sem narrativa nem diálogos: uma família pobre resolve se mudar para uma ilha estéril, árida, sem vegetação. O doloroso cotidiano de quatro pessoas, a luta diária para buscar água, tudo mostrado com a mais absoluta simplicidade e competência.

O que me deixou extasiado foi a feliz conjunção de roteiro, trama, atores, diretor e fotógrafo. Tudo parecia verdade, tudo era comovente. Quando saí do cinema, havia um alvoroço dentro de mim, estava absolutamente transtornado. Senti que algo novo estava acontecendo. No dia seguinte, pedi a Marinilda, colega de faculdade, a Yashica Eletro 35 emprestada e fui fotografar o entardecer na praia. Naquele momento, minha saga de andarilho começou.

O primeiro assunto foram os urubus, o cais e as prostitutas da Rua General Câmara em Santos. De repente, as palavras tornaram-se proscritas, sucumbiram diante da nova linguagem. Passei a tropeçar nelas. O que me importava naquela ocasião era fotografar, folhear livros de fotografia

**Parque Nacional do Pico da Neblina, AM**
As botas surradas do autor, companheiras das intermináveis viagens pelo Brasil (foto de Marcos Blau)

Pico da Neblina National Park, AM
The author's worn-out boots; traveling companions on the endless trips throughout Brazil (photo by Marcos Blau)

## Becoming a Nature Photographer

When I was 14 years old I wanted to be a writer. Photography took me by surprise when I was 21 and went to see *Naked Island*, by Kaneto Shindo, in a midnight film session that the Frenchman Maurice Legeard used to organize in Santos, a seaside city in the state of São Paulo. The film, a Japanese classic, was entirely *zen*, with almost no narrative nor dialogues: a poor family decides to move to a sterile, arid island, without any vegetation at all. The daily hardships of the four people, their daily battle to obtain water, was all shown with extreme simplicity and competence.

What really got me ecstatic was the sublime conjunction of screenplay, plot, actors, director and photography. Everything seemed so real, everything so moving. When I left the theater, I was absolutely dumfounded, I was completely baffled. I felt something new was happening to me. The following day, I asked Marinilda, a friend of mine, to lend me her Yashica Eletro 35 and went to take pictures of dusk on the beach. This was the moment my saga as a wanderer began.

My first subjects were vultures, the docks and the prostitutes on General Câmara Street in Santos. Suddenly, words were proscribed; they succumbed before this new form of expression. I began to trip over them. What really mattered was to take

em livrarias e bibliotecas, curtir cinema: Orson
Wells, Kurosawa, Bergman, Truffaut, Fellini; e
grandes fotógrafos, como Cartier Bresson, Ansel
Adams, Werner Bischoff e Ernst Haas.

Minha primeira exposição, porém, foi antes
disso, em janeiro de 1973 no Clube XV em Santos:
*Os Urubus*, com textos de Cid Marcus e Oswaldo de
Mello Jr. e ilustrações de Lucio Menezes e
Geandré. Um ensaio sobre os urubus e a miséria
da Baixada Santista. Trinta anos depois vejo que
pouca coisa mudou. A miséria continua, e os
urubus também estão por lá, no trajeto costumeiro
dos lixões de Santos para os lixões do Guarujá,
com algumas paradas na Ilha de Urubuqueçaba e
nos manguezais poluídos da Ilha de Santo Amaro.

Em 1974, entrei como jornalista no *Cidade de
Santos*, onde escrevia sobre o Santos Futebol
Clube. O Pelé na época me chamava de "Roberto
Carlos", ironizando minha hoje perdida cabeleira,
inspirada em Jimmy Hendrix. Depois, em 1976, fui
para a sucursal santista de *O Estado de S. Paulo* e
*Jornal da Tarde*, ainda como repórter. Mas foi lá
que o diretor, José Rodrigues, publicou minhas
primeiras fotos.

A Baixada Santista me oferecia um universo de
temas além do cais e das prostitutas. Havia a
Cubatão dos horrores e das crianças sem cérebro,
a miséria dos diques, os lixões; mas também havia
a beleza do mar e da Mata Atlântica: o verso e o
reverso. A partir daí não parei mais, mergulhei de

pictures, go through photography books in
bookstores and libraries, go to the movies: Orson
Wells, Kurosawa, Bergman, Truffaut, Fellini; and
well-known photographers, like Cartier Bresson,
Ansel Adams, Werner Bischoff and Ernst Haas.

However, my first exhibition was before this, in
January 1973 at the Clube XV in Santos: *The
Vultures*, with texts by Cid Marcus and Oswaldo de
Mello Jr. and illustrations by Lucio Menezes and
Geandré. It was a study on vultures and the misery
found in the Santos Lowlands. Thirty years later I
see that nothing much has changed. The misery
continues, as well as the vultures, in their
customary trajectory extending between the Santos
and Guarujá city dumps, with a few stops on the
Urubuqueçaba Island and the polluted mangroves
on Santo Amaro Island.

In 1974, I began to work as a reporter for *Cidade
de Santos* newspaper, where I covered the Santos
Soccer Club. Pelé at the time used to call me
"Roberto Carlos" (a well-known Brazilian singer),
making fun of my long-gone hairstyle, inspired by
Jimmy Hendrix. Later, in 1976, I went to work at the
branch office of *O Estado de S*. Paulo and *Jornal da
Tarde* newspapers, still as a reporter. But it was
there that the director, José Rodrigues, first
published my photographs.

The Santos Lowlands offered up a universe of
themes besides just docks and prostitutes. There
was Cubatão with all its horrors and children born

cabeça. Abandonei aos poucos o trágico e me concentrei na procura do belo. Encontrei-o na luz da natureza brasileira, da qual nunca mais me afastei e que se tornou, inclusive, minha identidade profissional, minha própria cara.

## Zwarg, Artur Lino e a Jureia

Em 1978, conheci um homem notável, o ecologista e vereador de Itanhaém Ernesto Zwarg Jr., um nome histórico na luta contra a devastação da Mata Atlântica. Ernesto me convidou para fazer uma matéria sobre a região, invadida impunemente por caçadores, palmiteiros e madeireiros. Foi o início de minhas viagens pelo coração da Mata Atlântica.

Graças a Zwarg descobri o paraíso da Jureia, e por tabela minha carreira deslanchou. Antes sem bandeira clara, minha fotografia passou a ter estilo, ideologia, ganhou foco. Quando o governo, em 1980, desapropriou 22.000 hectares de praias e

without brains, the misery of the dikes, the city dumps, as well as the beauty of the ocean and the Atlantic Forest: two sides of the same coin. From this point on I never stopped, I dove in with body and soul. I slowly abandoned things tragic and concentrated on searching out beauty. I found it in the light of Brazilian nature and have never strayed, making it my professional identity as well, a part of my face.

## Zwarg, Artur Lino and Jureia

In 1978 I met the remarkable ecologist and councilman for the city of Itanhaém, Ernesto Zwarg Jr., an historic name in the fight against the devastation of the Atlantic Rainforest. Ernesto invited me to do a study on the region, lawlessly invaded by hunters, heart-of-palm harvesters and lumber companies. This was the beginning of my incursions into the heart of the Atlantic Rainforest.

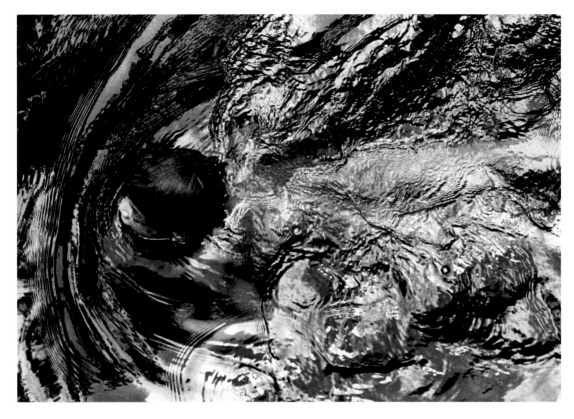

**Ubatuba, SP**
Menino guarani e o
movimento das
águas do Rio
Promirim (1989)

**Ubatuba, SP**
A Guarani boy and
the rushing waters
of the Promirim
River (1989)

matas virgens entre Peruíbe e Iguape, com a intenção de construir duas usinas nucleares para produção de energia elétrica, a fotografia que eu fazia reagiu, cresceu. Somou-se à beleza do ambiente captado pela câmera fotográfica a indignação, a revolta diante da loucura daqueles que planejavam a expansão energético-nuclear no Brasil. Não bastasse a impropriedade geográfica de Angra I, queriam destruir a pérola preservada do litoral sul paulista.

Thanks to Zwarg I discovered the Jureia paradise which circumstantially got my career off the ground. My photography incorporated a style and ideology of its own, it gained focus compared to what it was before, without a pendant to wave. When the government, in 1980, expropriated 22,000 hectares of beaches and virgin forests between Peruíbe and Iguape, intending to build two nuclear energy plants, my photography reacted, It grew. The beauty of the environment caught on my

**Manacapuru, AM**
Onça lutando contra a
correnteza na cheia
do Igarapé do Guedes

Manacapuru, AM
A jaguar struggling
against the current of
the Guedes Igarapé
during the flood season

Compreendi então, nas andanças com Zwarg, nas reuniões em casas caiçaras, nas manifestações de protesto, que meu ofício poderia transformar-se numa poderosa arma, uma forma concreta de lutar contra a devastação ambiental, de demonstrar solidariedade social e espalhar júbilo, reflexão e saber. A obstinação e a coragem desse homem notável me deram grande ânimo. Ele foi o primeiro a denunciar a construção das usinas, a voz pioneira a se levantar contra a expulsão dos

camera was enhanced with indignation and revolt with the madness of those who planned the expansion of nuclear energy in Brazil. Not satisfied with the unsuitability of the location of Angra I (Angra dos Reis, RJ), they now wanted to destroy the pearl of the southern coast of São Paulo.

It was then that I understood, in my jaunts with Zwarg, in the meetings in the cabins of local inhabitants, in the protest manifestations, that my chosen trade could be transformed into a powerful

**Cubatão, SP**
Catador de detritos na
extinta Vila Parisi

Cubatão, SP
A junk-gatherer walks in
the now extinct Vila Parisi

caiçaras das praias locais pelos especuladores.
Foi um símbolo da transformação daquele pequeno
paraíso na Estação Ecológica de Jureia-Itatins.

Era o dia 6 de janeiro de 1978. Zwarg me
convidou para um encontro com o doutor Paulo
Nogueira Neto, então diretor da Secretaria
Especial do Meio Ambiente (SEMA), o órgão
ambiental do governo Figueiredo. Zwarg queria a

tool, a concrete means to fight against
environmental devastation, of showing social
solidarity as well as spread joy, reflection and
knowledge. This remarkable man's obstinacy and
courage filled me with hope. He was the first to
denounce the construction of nuclear energy
plants, the pioneering voice that rose up against
the expulsion of the local simple folk from the
beaches by speculators. He was a symbol of the

todo o custo que ele conhecesse a Jureia, ainda sob ameaça de instalação das usinas. Doutor Paulo descansava em casa no bairro de Cibratel quando Zwarg chegou acompanhado de vários foliões fantasiados – era Dia de Reis. A estratégia do ambientalista para chamar atenção deu resultado e o doutor aceitou o convite de Zwarg. Acabamos dias depois, eu e doutor Paulo, embarcando no apertado avião pilotado pelo engenheiro norte-americano John Bradfield. Quando sobrevoamos o maciço da Jureia e o Rio Verde, a beleza era tanta que eu só dizia, entre um clique e uma respiração ofegante: "Meu Deus, meu Deus!" Doutor Paulo também estava extasiado. "Veja lá aquele cardume de paratis; olha a exuberância desse manguezal, que magnífica restinga!" Inesquecível. Com o que viu, doutor Paulo prometeu concentrar esforços para transformar a Jureia em uma unidade de conservação. Dois anos depois, a estação ecológica começou a ser implantada, e, no ano seguinte, o governo federal decidiu reformular o programa eletronuclear e suspendeu as ações de desapropriação.

Sobre a Jureia produzi muitas matérias, fiz exposições, audiovisuais, cartazes e até uma foto que rodou mundo. No momento em que ainda era iminente a construção das usinas, Zwarg e eu pensamos em fazer uns pôsteres e folders que resumissem a indignação e revolta do povo caiçara.

transformation of this small paradise into what is today the Ecological Reservation of Jureia-Itatins.

It was January 6, 1978. Zwarg invited me to accompany him to a meeting with Dr. Paulo Nogueira Neto, the then director of the Special Secretariat of the Environment (SEMA), the environmental organ during the Figueiredo administration. Zwarg was going to do whatever he had to do to make him come and see Jureia, still under the threat of becoming home to the nuclear energy plants. Dr. Paulo was resting at home in the Cibratel neighborhood when Zwarg arrived, accompanied by various masqueraded partygoers – it was Epiphany. The environmentalist's strategy to call attention to himself worked, and the secretary accepted Zwarg's invitation. A few days later I wound up in a small plane crowded together with Dr. Paulo and with the American engineer John Bradfield as pilot. When we flew over the Jureia Massif and the Verde River, it was so beautiful that all I could say, between taking a picture and then getting my breath back was: "My God, my God!" Dr. Paulo was ecstatic as well. "Look at that school of *parati* fish; look at the exuberance of that mangrove, what a beautiful sand bar!" It was unforgettable. Seeing what he did, Dr. Paulo promised to concentrate his efforts to transform Jureia into a conservation area. Two years later the Ecological Reservation began to be implanted and,

A ideia da imagem me veio folheando um livro do deputado Goro Hama que mostrava as vítimas de Hiroshima. Uma foto de cabeças e restos de esqueletos amontoados me impressionou. Eu a reproduzi e comprei uma moldura no asilo São Vicente de Paula, em São Vicente, cidade vizinha a Santos. Depois convenci meu pai, Manoel Alcântara Pereira, o "Queco", a atravessar 36 quilômetros a pé do Rio Una do Prelado até o Rio Grajaúna, onde eu iria fazer uma foto próxima do lugar em que seriam construídas as usinas. Ali na praia, com o Morro do Grajaúna ao fundo, meu pai, que usava tranças, soltou a cabeleira, segurou solenemente o quadro contra o peito e me olhou com aquela expressão de personagem de filme épico. Uma ventania providencial sacudiu a cabeleira de meu velho pai. A imagem fez sucesso e transformou-se num símbolo da luta contra o programa nuclear brasileiro incrustado naquele éden tropical.

Dois anos depois, encontrei um pedaço do memorável quadro das caveiras guardado com cuidado e mistério pelo seu Artur Lino dos Santos Pereira, caiçara que me guiou pelas matas do maciço da Jureia e dos Itatins. Meu pai estava junto quando seu Artur nos mostrou uns restos desgastados de madeira entalhada e um pedaço de fotografia carcomida pelo tempo. Logo percebi que era o quadro dos esqueletos que meu pai, espírita, havia oferecido ao mar depois da sessão de fotografias. Foi um instante de puro encantamento

the following year, the federal government decided to reformulate its electro-nuclear program and suspend all expropriation activities.

I produced lots of material on Jureia, exhibitions, audiovisual productions, posters and even a photograph which traveled around the world. When the construction of the energy plants was still eminent, Zwarg and I thought of making a few posters and handbills that summed up the indignation and revolt the local inhabitants felt about the issue. An idea for an image came to me while I was leafing through a book by commissioner Goro Hama which showed the victims of Hiroshima. A picture of skulls and skeletons all piled together made a deep impression on me. I reproduced it and brought a frame at the São Vicente de Paula Asylum, in São Vicente, a neighboring city to Santos. I then convinced my father, Manoel Alcântara Pereira, or "Queco", to walk 36 kilometers from the Una do Prelado to the Grajaúna River where I was going to take a picture near the site where the nuclear plants were to be built. There on the beach, with the Grajaúna Hill in the background, my father, who used to wear a ponytail, let his hair down, solemnly held the picture against his chest and looked at me with an expression you might see in an epic film. A providential gust of wind blew through my old father's hair. The photo was a big success and was turned into a symbol of the fight against

quando esclarecemos o mistério do quadro para o velho caiçara. Mal imaginava que dali em diante ganhava um amigo e mestre, um dos muitos sábios anônimos que encontraria pela estrada.

Conheci Artur Lino dos Santos Pereira na segunda incursão à Jureia, em 1980. Logo ficamos amigos. Ele era diferente dos outros moradores locais, a começar pela casa onde morava. Era a única com cerca, casinha para galinhas e uma estrela de Davi desenhada na porta. Nos fundos,

the Brazilian nuclear program being forced upon this tropical Eden.

Two years later, I found a piece of the memorable painting with the skulls carefully and mysteriously stashed away by Mr. Artur Lino dos Santos Pereira, one of the locals who used to guide me through the forests of the Jureia and Itatins Massifs. My father was with me when he showed us the worn remains of a carved piece of wood and a part of a photograph rotted by time. I soon realized

ligado à casa, construiu um espaço com bambus onde mantinha sempre aceso um fogo e onde sua mulher, dona Marisa, assava os peixes no fogão a lenha. Nesse lugar, passávamos horas papeando. Entre uma conversa e outra, ele interrompia para responder à natureza: "Quem será que está gritando lá pelos lados do Itacolomy? O macuco está cantando triste..." Escrevia com letra bonita, letra de antigo dono de armazém, e tinha especial talento para esculpir bichos de madeira. Uma vez me contou que viu um tucano de ouro saindo de uma janela de pedra do Pico do Pogoçá: "Quando a gente vê, o ouro de suas cores turva a vista de tão bonito. A gente então é abençoado com sete anos de felicidade".

– Mas... o que é felicidade para você, Artur? – perguntei.

– Felicidade é muito peixe na rede, as plantas vingando na horta e paz dentro de casa.

Nas incursões pela Jureia, eu tinha a sábia companhia de Artur, com quem aprendi muita coisa: a ficar em silêncio observando a vida pulsar na mata; a puxar conversa com as árvores e os animais, instigando-os a aparecer e a não ter medo; a abraçar as árvores sem receio de parecer ridículo; a observar o vento, o céu, os aromas da mata. Com Artur germinou uma espécie de pressentimento que me faz perceber o animal em lugares difíceis e a interagir com ele, tranquilamente... A foto é consequência, é o bicho

that it was what was left of the skeleton montage which my father, a spiritualist, had offered to the ocean after our photography session. It was an instant of pure enchantment when we explained the mystery of the picture to the old man. Little did I imagine that I had just gained a friend and mentor, one of the many anonymous sages that I was to come across in my travels.

I met Artur Lino dos Santos Pereira during my second trip into Jureia, in 1980. We soon became friends. He was different than the others, as could be seen in his house. It was the only one with a fence, a chicken coop and the Cross of David drawn on the door. In the back, connected to the house, he built an area circled by bamboo where one could always find a wood burning stove in activity where his wife, Dona Marisa, prepared fish. We would spend hours here in conversation. Between one yarn and another, he would interrupt to talk to mother nature: "Now who is making such a fuss over near Itacolomy? The tinamou sounds sad..." His writing was handsome, like that of an old grocery store owner, and he was very talented in sculpting animals in wood. He told me he had once seen a golden toucan coming out of a stone window on the Pogoçá Peak: "When you see it, the golden colors are so beautiful, it blurs your vision and you are blessed with seven years of happiness".

— But... what is happiness to you, Artur? — I asked him.

que decide se vai deixar-se fotografar. Eu apenas persisto, espero, algumas vezes desisto, em outras retorno ao mesmo lugar teimosamente, confiante. Foi assim com a biguatinga. Artur me disse que, naquele braço do Rio Una do Prelado, as biguatingas gostavam de tomar sol após a pescaria. Perseverei durante dois, três dias, porque queria fotografar o bicho com as asas abertas, que é quando ele fica realmente belo. Permanecemos ali, quietos, dentro da água, camuflados, a Nikon 400 mm montada no monopé, preparada para a cena. No quarto dia, após uma chuva de verão, a biguatinga da foto se revelou. O detalhe é que a luz da tarde apareceu de repente e iluminou a palmeira de fundo que havia caído com um raio. Artur percebeu na minha expressão que eu havia feito uma grande foto e compreendeu minha obstinação em voltar ali todo dia.

Artur morreu em 1990, já com a Jureia definitivamente livre das usinas atômicas.

Em 1980, fui a Manaus fazer uma matéria para uma empresa de revenda de pneus. No Hotel Tropical, entreouvi uma conversa de dois garçons sobre uma onça que andava aparecendo no Igarapé do Guedes, em Manacapuru. Algo mexeu comigo, pressenti. Conversei com um dos rapazes, o que havia visto a onça. Por coincidência ou não, ele folgaria no dia seguinte e se dispôs a me levar até Manacapuru. Meia hora

— Happiness is a net full of fish, lots of vegetables in the garden and harmony at home.

On my trips into Jureia, I could always count on Artur's vast experience, and I learned a great deal from him: how to remain in silence observing life pulsate in the forest; to talk with the trees and animals, encouraging them to appear and not be afraid; to hug the trees without being afraid of appearing ridiculous; to observe the wind, sky, the smells in the forest. A sort of sixth sense germinated in me with him and I was able to perceive animals in difficult places and interact with them, calmly... The photograph was a consequence, it is the animal who decides whether it will allow you to take its picture or not. I just persist, wait, sometimes I give up, sometimes I stubbornly go back to the same place, full of hope. That is how I got the picture of the water turkey. Artur told me that the water turkeys liked to sunbathe on the banks of a certain branch of the Una do Prelado River after fishing. I persevered for two, three days, because I wanted a picture of the bird with its wings open, which is when it is really beautiful. We hid there; quiet, inside the water, camouflaged, my Nikon 300 mm mounted, ready for the scene. On the fourth day, after a summer rain, the water turkey revealed itself. The great part was that the afternoon sunlight suddenly appeared and illuminated the palm tree in the background which had been felled by lightning. Artur saw by my

**Estação Ecológica da Jureia, SP**
Biguatinga seca as asas no interior da Mata Atlântica

**Estação Ecológica
da Jureia, SP**
Biguatinga seca as
asas no interior da
Mata Atlântica

Jureia Ecological
Station, SP
Water turkey dries its
wings in the Atlantic
Forest

de canoa no igarapé, e ela surgiu, brincando com os arbustos na água rasa. Até hoje nem sei como consegui manter firme a teleobjetiva 200 mm Takumar e a velha Pentax Spotmatic F. Mesmo sabendo que estava diante de minha primeira grande foto, só sosseguei após revelar o filme. Ufa!, havia pelo menos uma foto especial, da onça mordendo o galho. As outras ou eram normais ou estavam tremidas. Os diretores da empresa de

expression that I had taken a great photo and understood my obstinacy in returning there day after day.

Artur died in 1990, with Jureia definitely freed from the threat of atomic power plants.

In 1980, I went to Manaus to gather material for a tire company. At the Tropical Hotel I overheard a conversation between two waiters talking about a

**Estação Ecológica de Jureia-Itatins, SP**
Morro de Grajaúna e Praia do Rio Verde ao entardecer: patrimônio natural protegido por lei estadual

**Jureia-Itatins Ecological Station, SP**
The Grajaúna Hill and the Rio Verde Beach at nightfall: a natural heritage protected by state law

pneus gostaram tanto que a levaram para os Estados Unidos. Com o dinheiro, comprei minha primeira Nikon, o primeiro tripé, o primeiro flash... Voltei profissional.

## Livros e Viagens

Em 1980, com Helio Campos Mello, João Bittar e Nair Benedicto, cobri a greve do ABC para a *IstoÉ* e depois continuei "frilando" para a revista. Batalhei para que meu primeiro livro fosse sobre a Jureia, mas um inesperado convite de Heloisa

jaguar which was roaming around Guedes Igarapé, in Manacapuru. Something lit up inside, I felt it. I talked with one of the boys, the one who had seen the jaguar. Coincidence or not, the next day was his day off and he agreed to take me to Manacapuru. After half an hour rowing up the *igarapé* (a narrow, natural channel between an island and the mainland) it appeared, playing with the underbrush in shallow water. I still don't know how I managed to keep the 200 mm Takumar lens and my old Pentax Spotmatic F steady. In spite of knowing that I had

Helena dos Santos Pereira, da editora AC&M, em 1984, levou-me a outro projeto: *Árvores de Minas*, com textos de Burle Marx e José Tabacow. *Jureia, a Luta pela Vida*, com texto de Judith Cortesão e colaboração de outros três colegas fotógrafos, só aconteceu quatro anos depois, a convite de Ronaldo Graça Couto, então trabalhando como editor na Editora Index. Na sequência, veio o poético *Mar de Dentro* (Empresa das Artes), com texto do doutor Paulo Nogueira Neto, ambos já esgotados. A seguir, fiz dois livros sobre Santos, festejando a cidade onde moro desde os 7 anos; *Projeto Dique,* com texto de Vinicius Romanini, sobre a iniciativa pioneira de reurbanização de uma área de palafita, iniciativa do falecido doutor David Capistrano Filho, ex-prefeito do município; e *Brasil Iluminado,* pela DBA, que une preto-e-branco e cor e contempla mais de três anos de viagens pelo país; além de muitos outros livros em coautoria. De todos eles, o mais difícil e o de maior sucesso até hoje foi *TerraBrasil* (DBA e Melhoramentos), publicado originalmente em 1997 e que já vendeu mais de 30.000 exemplares – primeiro amplo registro fotográfico dos parques nacionais do país, tornou-se obra de referência obrigatória e, influenciou muitos fotógrafos de minha geração.

De todas as viagens, a mais fantástica foi pela Amazônia, na virada de 1996 para 1997. De avião, de barco e a pé, quatro meses de andanças, cerca

just taken my first important picture, I only relaxed after I had it developed. Whew! There was at least one special photo, of the jaguar biting a branch. The others were either only reasonably good or shaky. The directors of the tire company liked the picture so much they took it to the States. With the money I made I bought my first Nikon, my first tripod, and my first flash... I returned home a professional.

## Books and Trips

In 1980, along with Helio Campos Mello, João Bittar and Nair Benedicto, I covered the autoworkers strike in the ABC district of São Paulo for the *IstoÉ* weekly news magazine and later continued on as a freelance photographer for them. I intended that my first book would be on Jureia, but an unexpected invitation from Heloisa Helena dos Santos Pereira, from AC&M Publishers, in 1984, sent me on another project: *Árvores de Minas* (Trees from Minas Gerais), with texts by Burle Marx and José Tabacow. *Jureia, a Luta pela Vida* (Jureia, Fighting for Life), with texts by Judith Cortesão and with the collaboration of three other photographers would be published only four years later, through an invitation from Ronaldo Graça Couto, then working as editor for Editora Index. Soon after came poetic *Mar de Dentro* (The Inner Sea; Empresa das Artes publisher), with texts by Dr. Paulo Nogueira Neto, both of which were completely sold out. In sequence I worked on two books on Santos, celebrating the

de 100.000 quilômetros rodados, mais de 30.000 cliques, tudo para fotografar sete parques nacionais. Durante a inédita jornada, subi o Pico da Neblina em doze dias de caminhada, sem corda, sem fogareiro, sem a parafernália de equipamentos que aparecem nos programas de TV. Mas, em vez disso, contava com a experiência de dois garimpeiros, o Branco e o Zé Traíra, que me levaram lá em cima, no topo do Brasil. Partimos de São Gabriel da Cachoeira, norte do Amazonas, pela estrada que leva até Cucuí, fronteira com a Venezuela. Navegamos depois pelo Igarapé Iá-Mirim, Iá-Grande, Rio Cauburis e em seguida pegamos o Rio Maturucá até a aldeia dos índios Ianomâmis. Ficamos lá três dias e depois voltamos ao Rio Cauburis até o Igarapé Tucano. A subida foi na unha, cortando lenha para fazer fogo. Depois de cinco dias chegamos ao topo. Uma pequena clareira rodeada de pedras com uma velha bandeira do Brasil. A foto épica quase não foi possível, porque a névoa cobria tudo de branco. Mesmo assim a emoção foi indescritível. Senti que o livro estava sob meu domínio, que agora o Brasil não era tão grande assim. Depois das comemorações, escrevi no caderno de anotações que fica guardado num vão de pedra: "Eu me sinto, mais do que nunca, um viajante, um colecionador de mundos. Aqui, no topo do meu país, consagro minha vida a captar e repartir belezas".

city I have lived in since I was 7 years old; *Projeto Dique* (Dike Project), with texts by Vinicius Romanini, about a pioneering initiative of the re-urbanization of a slum area, an endeavor of the late Dr. David Capistrano Filho, ex-mayor of the municipality; and *Brasil Iluminado* (Illuminated Brazil), published by DBA, which is both in black and white and color and revisits more than three years of traveling throughout Brazil; besides many other books as co-author. Of all of them, the most difficult, and the most successful to this day was *TerraBrasil* (DBA and Melhoramentos), originally published in 1997 and that was already sold 30,000 copies. It was the first comprehensive photographic register of all the country's national parks. It is today a mandatory reference work and one which, I would like to think, has influenced many photographers of my generation.

Of all my trips, the most fantastic was the one through the Amazon region, at the end of 1996 and beginning of 1997. By plane, boat and on foot, it was a four-month odyssey, covering nearly 100,000 kilometers and more than 30,000 shots, to photograph seven national parks. During this unique journey, I walked up the Pico da Neblina in twelve days, without a rope, without any type of cooking stove, without any equipment and without a lot of other comforts which we only see on television programs. Instead, I counted on the

**Praia dos Carneiros, PE**
Cenário paradisíaco de
praias e bancos
anastomosados de areias e
rasas dunas embrionárias

Carneiros Beach, PE
Paradisiacal scenario of
inter-connected beaches,
sand banks and embryonic
shallow dunes

## Fotografar a Natureza: Experiência e Descoberta

Fotografar a natureza é conviver com o
primitivo, o intocado. As coisas em estado puro,
sem interferência humana. A vida pulsando em
outra escala de tempo. Minha história pessoal se
confunde com os ermos deste país continental.
Sou um andarilho, um caçador de belezas. A
influência da vastidão, a interação com a mata
virgem me dão o verdadeiro sentido da liberdade,
pacificam-me.

experience of two miners, Branco and Zé Traira,
who took me up, to the top of Brazil. We started
from São Gabriel da Cachoeira, northern Amazon,
by the road which leads to Cucuí, on the border
with Venezuela. We then navigated the Iá-Mirim and
Iá-Grande *Igarapé*, the Cauburis River, and then
took the Maturucá River until the Ianomâmis Indian
village. We stayed there for three days and then
headed back to the Cauburis River until the Tucano
*Igarapé*. We started up the peak using practically
nothing but our fingernails and cutting wood to

A experiência do fotógrafo viajante é reveladora e gratificante, mas torna a vida cheia de surpresas, algumas arriscadas. Não bastassem os insetos insuportáveis, o desconforto de acampamentos improvisados, chuva forte, lama, pedras no caminho, calor ou frio, certas vezes o perigo ronda as expedições em áreas remotas. O maior sufoco aconteceu em Roraima, no Rio Cotingo, em 1998. O guia havia marcado um encontro com um índio Ingaricó, para que ele nos guiasse rio acima até a aldeia Sauaparu e Manalai. Atravessamos duas grandes cachoeiras pela mata, andamos mais de cinco horas, e o cara não estava no local combinado. Depois de duas horas de espera, decidimos seguir em frente sozinhos. A canoa, de um tronco só, era daquelas enormes, sem quilha, não era para ser dirigida por qualquer um. O rio estava relativamente calmo, mas havia correnteza. Cheguei a aconselhar o guia a desistir. Ele respondeu que não havia perigo, e lá fomos. Eu nem me mexia dentro da canoa, com o equipamento preso entre as pernas. No começo a gente enfrentou bem a força da água, mas quando o tempo virou a coisa ficou preta. A canoa se desgovernou e foi direto no sentido das cachoeiras. Todo meu equipamento estava ali, e, se a gente pulasse, tudo se perderia. Entramos no canal da correnteza, e a cachoeira foi se aproximando. Mas... e o equipamento? O guia gritou que o único jeito era amarrá-lo – já embalado em dois

make fires. After five days we reached the top. A small clearing circled by stones with an old Brazilian flag in the middle. The epic photograph almost wasn't shot because the fog covered everything with a white haze. Even so, the emotion was indescribable. I felt that the book was now under my dominium; Brazil wasn't all that big anymore. After our commemoration, I wrote in the notebook which is kept in a crack in a stone next to the sky: "I feel now, more than ever, like a globetrotter, a collector of worlds. Here, at the top of my country, I dedicate my life to capturing and sharing beauty".

## Photographing Nature: Experience and Discovery

Nature photography implies in living with the primitive, the untouched. Things in their purest state, without any human interference. Life pulsating in another scale of time. My personal history is intertwined with that of the deserted regions of this continental country. I am a wanderer, a hunter of natural beauties. Vast open areas or interaction with virgin forests fill me with the true meaning of liberty – soothe me.

Being a travelling photographer is revealing and gratifying, but fills your life with surprises, some of them unpleasant and others downright risky. As if the unsupportable insects, the discomfort of impromptu camp sites, rain storms, mud, rocks,

**Serra do Aracá, AM**
Araquém Alcântara em
busca de locais ermos,
maio de 2000
(foto de Marcos Blau)

Aracá Mountains, AM
Araquém Alcântara in
search of little known
places, in May, 2000
(photo by Marcos Blau)

heat or cold, weren't enough, sometimes danger lurked around expeditions in remote areas in a memorable way. One of the worst times was when I was in Roraima, on the Cotingo River, in 1998. Our guide had set up a meeting with an Ingaricó Indian to guide us further up the river, to the Sauaparu and Manalai villages. We crossed two big waterfalls in the middle of the forest, walked another five hours, and the guy wasn't where he was supposed to be. After waiting two hours, we decided to go ahead alone. Our canoe, made out of one single big log was huge, and didn't have a keel – not a canoe to be managed by a beginner. The river was relatively calm, but there was a current. I went as far as suggesting to the guide that we should give up. He said that it wasn't dangerous, and there we went. I didn't move an inch inside the canoe, with my equipment tied down between my legs. In the beginning we managed to do alright, but when the weather got bad it was another story. The canoe got out of hand and went straight for the waterfalls. All my equipment was in that canoe, and if we jumped out I would lose it all. The current picked us up, and the waterfall kept getting closer. But... what about my equipment? The guide yelled out that the best thing to do would be to tie up the equipment – already bound up in two miraculous garbage sacks – and give the package enough rope so that it would be easy to cut loose if I had to. If I wasn't able to swim when I jumped in the water, I would

milagrosos sacos de lixo grandes – e dar uma folga na corda de jeito que fosse fácil soltar se necessário. Se não desse para nadar na hora do salto, eu abandonaria o equipamento. A ideia dele era chegar mais perto da cachoeira, onde geralmente há um trecho raso com muitas pedras. Até o momento exato de pular da canoa, foi um desespero só. O roncar da cachoeira foi

aumentando e logo tomou conta de tudo. Na hora H eu pulei entre duas pedras, machuquei a coxa, mas felizmente deu pé. O equipamento praticamente flutuou, e eu o puxei para perto das pedras. Foi um outro sufoco nadar até a margem. Escapamos por muito pouco de um acidente de graves proporções. Coisa boa de contar depois, mas, ali no momento, muito ruim de viver.

Infelizmente nem tudo está correto debaixo deste sol tropical. A paisagem brasileira, nesses trinta anos de andanças, sofreu grandes danos, alguns irreversíveis. Nos locais distantes dos grandes centros, vi poucas mudanças no campo social. Acompanhei de perto a penúria em que vivem muitos conterrâneos perdidos no meio do grande sertão brasileiro. Crianças ainda dormem com fome nos confins desta terra tão rica e desigual. Os índios Macus e os ribeirinhos da Serra do Aracá bebem álcool puro e cheiram desodorante na região do Alto Rio Negro, Amazonas; dona Mariinha, do Raso da Catarina, na Bahia, tem até de caçar onça com o marido para comer no calor inclemente da caatinga; ribeirinhos e índios Ianomâmis da Serra Parima, em Roraima, são exterminados por malária e tuberculose. Certa vez, próximo ao Parque Nacional do Jaú, no Amazonas, vi crianças morrendo de malária, sem assistência alguma. Nos cerrados e veredas, gerais e caatingas, vive um brasileiro digno, resistente, mas

abandon the equipment. His idea was to get as close to the waterfall as possible, where there was usually a shallow part filled with rocks, before jumping. Waiting for the exact moment to jump was real hell. The noise from the waterfall kept getting louder and pretty soon nothing else was heard. When the time came I jumped between two rocks, hurt my thigh, but luckily was able to keep my ground as it wasn't so deep. The equipment practically floated, and I pulled it over closer to the rock. Swimming over to the river bank was another problem. We barely escaped from a very serious accident. Something nice to talk about later, but at the moment, real hell.

Unhappily not everything is as it should be under this tropical sun. The Brazilian landscape, during my thirty years of wandering, has suffered great damages, some of them irreversible. Far from the big city centers I have seen very little social changes. I have closely accompanied the hardships under which many of my fellow citizens, lost in the middle of the great Brazilian *sertão,* have suffered. Many children still go to bed hungry in this rich and unjust country. The Macu Indians and locals in the Aracá Mountain Range drink pure alcohol while others inhale deodorant in the region around the Upper Negro River, Amazon; Dona Mariinha from Raso da Catarina, in Bahia, even has to hunt jaguar with her husband in the unyielding heat of the

espoliado, doente, sem voz, conformado das sortes deste mundo. Ou se investe toda a energia para reverter esse quadro, ou então jamais seremos um país de verdade.

A situação de nossos santuários naturais também é dramática. Simplesmente não há uma política ambiental consistente, nem investimentos em implantação de planos de preservação e fiscalização. Apesar dos esforços oficiais, a devastação e a corrupção ainda correm soltas. Só na Amazônia, última grande reserva vegetal do planeta, as madeireiras e as empresas agropecuárias são responsáveis anualmente pela derrubada de mais de 10 milhões de metros cúbicos de madeira. No Brasil central, o cerrado, um fantástico bioma de quase 207 milhões de hectares, vem sendo grosseiramente apagado do mapa, substituído pela monotonia dos eucaliptos e das plantações de soja e sorgo. Não é só a paisagem natural que está desaparecendo. Nossos bichos continuam sendo extintos: ararinha-azul, ariranha, galo-da-serra, peixe-boi... A Mata Atlântica está confinada a alguns santuários, e somente vejo convivência com esse crime de lesa-humanidade. Não temos mais de 7% dos 3.500 quilômetros quadrados de Mata Atlântica que cobriam na época do descobrimento uma faixa contínua de quase 1 milhão de metros quadrados. Pela avaliação de cientistas, esse inestimável patrimônio biológico pode desaparecer para

*caatinga* to eat; Ianomâmi Indians and local inhabitants of the Parima Mountain Range in Roraima are exterminated by malaria and tuberculosis. I once saw, near the Jaú National Park, in Amazon, children dying of malaria, without any kind of assistance whatsoever. A dignified and resistant breed of Brazilians can be found living in the grasslands and drought regions of northeastern Brazil, but they are also ravaged, sick, silent and resigned to their destiny. If energetic measures are not taken to revert this situation we will never be a real country at all.

The situation of our environmental sanctuaries is also dramatic. There simply is no consistent environmental policy, nor investments in preservation or control plans. Despite official efforts, devastation and corruption is rampart. In the Amazon itself, the planet's last great vegetation reserve, the lumber companies and agro-industry companies are responsible for annually felling more than 10 million cubic meters of wood. In Central Brazil, where we find the *cerrado*, a fantastic biota of almost 207 million hectares is being wiped off the map and substituted by the monotony of eucalyptus, soy and sorghum. It is not only the natural landscape which is being devastated. Wildlife continues to disappear: various species of macaw, *galo-da-serra*, manatee... The Atlantic Rainforest is confined to a few sanctuaries and all that can be seen is partisanship with crimes against humanity. There is

sempre nos próximos trinta anos, permanecendo apenas algumas manchas de florestas nas serras mais inacessíveis. E minha obra, de registro fotográfico de nossas riquezas, poderá tornar-se matéria de arqueologia ecológica.

O mais grave é que sobrevive um pensamento ainda corrente de que nossos recursos naturais são inesgotáveis, já que temos tanta floresta e água... Mas, como diz o vaqueiro Samuca do Parque Nacional Grande Sertão Veredas, em Minas Gerais, "donde só se tira e *num* se põe, um dia

only 7% left of the 3,500 square kilometers of Atlantic Rainforest which covered an almost continuous strip of around 1 million square meters at the time of the discovery of Brazil. As evaluated by scientists, this priceless biological heritage could disappear forever within the next thirty years, with a few patches of forests remaining among the more inaccessible mountain ranges. And then my life's work, the photographic register of our natural wealth, may come to be precious research material for ecological archeology.

tudo o mais tem de se acabar". A quase liquidação da Mata Atlântica deve servir de exemplo e abrir nossos olhos, porque o mesmo pode acontecer com a Amazônia. Aí não sobrará mais nada. Como dizia o poeta Carlos Drummond de Andrade, "o vazio da noite, o vazio de tudo será o dia seguinte".

Vários são os parques nacionais que ainda nem dispõem de plano de manejo. A falta de uma política atuante para implantar definitivamente os parques transformam imensas regiões em paraíso de caçadores, grileiros e palmiteiros. Governos se sucedem, e muitas reservas continuam abandonadas. As exceções são fruto da luta de alguns verdadeiros heróis e do investimento de entidades e organizações não governamentais.

Desse quadro triste, emerge a responsabilidade permanente do fotógrafo de natureza. Ele tem de lutar com sua linguagem para ajudar a mudar consciências.

Minha fotografia tem a ambição de aproximar o Brasil dos brasileiros e de revelar ao mundo a riqueza ambiental desta terra. Mapear, das mais diversas formas, a paisagem, a fauna, a flora, a geografia, os tipos humanos, e assim contribuir para fortalecer a identidade cultural do país.

Ao fotografar, procuro compor poemas visuais, como bem fazia o grande Werner Bischoff. Meu trabalho é um canto de amor à natureza e ao povo brasileiro. Ele parte das aldeias, dos rincões, das matas ainda intocadas. Assumo

The worst though is the fallacy that our natural resources are inexhaustible – we have so much forest and water... But, like the cowhand Samuca, from the Grande Sertão Veredas National Park, in Minas Gerais says, "from where you take and never put back, one day nothing is going to be left". The near extinction of the Atlantic Rainforest should be used as an example and open our eyes, because the same thing can happen to the Amazon. Then we wouldn't have anything left. It would be as the poet Carlos Drummond de Andrade said, "the emptiness of night, empty of everything, will be the following day".

Many of the national parks don't even have any kind of management plan yet. The lack of an active policy for definitely establishing the parks transforms immense regions into a paradise for hunters, squatters, and heart-of-palm gatherers. Different administrations come and go, and many reserves continue to be abandoned. The exceptions are due to the efforts of a few true heroes and investments made by non-governmental organizations.

In this bleak scenario, the permanent responsibility of the nature photographer emerges. He has to fight with his chosen means of expression to help change the overall consciousness.

My photographic work endeavors to bring Brazil closer to the Brazilians and to reveal to the world the environmental wealth of this great land. To

Quixadá, CE
O cercado metálico dos
bordos do Açude do Cedro
demonstra cuidado
exemplar com a água, tão
rara e preciosa na
paisagem do agreste
nordestino

Quixadá, CE
A metal fence around the
Cedro Açude (water-
storage weir), showing the
cares taken with the rare
and precious water in the
semi-arid northeast

minha herança caraíba, meio africana. Vejo com
os olhos de Guimarães Rosa, João Cabral de
Melo Neto, Ariano Suassuna, Glauber Rocha,
Lima Barreto, Machado de Assis, Oswald de
Andrade e Mario de Andrade.

Se o fotógrafo tem uma visão crítica dos
fenômenos sociais, sua obra estará mais próxima
do caráter do povo, e o conteúdo do trabalho irá
gerar valores universais. Acredito que a função
primordial do artista é seduzir as pessoas,
provocar reflexão, espalhar benefícios. Revelando o
Brasil desconhecido, talvez amplie a memória
geográfica e afetiva do brasileiro, talvez transforme
algumas consciências.

Do fotógrafo japonês Michio Oshino, que morreu
tragicamente no Alaska devorado por um urso, há
uma profunda lição que tento reviver a toda nova
expedição: cada um de nós é uma expressão distinta
da mesma unidade, parte de um delicado tecido que
compõe o grande corpo terrestre. Para a natureza

chart, in the most diverse forms, the landscape, the
fauna, the flora, the geography, the different breeds
of Brazilians, and so be able to contribute in
strengthening the cultural identity of the country.

While photographing I try to compose visual
poems, as the great Werner Bischoff did so well.
My work is a declaration of love to nature and the
Brazilian people. It springs from the villages, far-
off wooded valleys, of virgin forests. I assume my
*Caraíba*, half-African heritage. I see with the same
eyes as Guimarães Rosa, João Cabral de Melo
Neto, Ariano Suassuna, Glauber Rocha, Lima
Barreto, Machado de Assis, Oswald de Andrade
and Mario de Andrade.

If a photographer has a critical stance in
relation to his country's social phenomena, his
work will be closer to the character of its people,
and the content of his creations will generate
universal values. I believe that the primordial
function of the artist is to seduce people, provoke
reflection, spread benefits. In revealing an
unknown Brazil I just might be amplifying the
geographic and affective memory of the Brazilians,
I just might be able to transform the consciousness
of one or two people.

There is a profound lesson to be learnt from the
Japanese photographer Michio Oshino, who died
tragically in Alaska where he was devoured by a
bear, which I try to relive on each new expedition:
each one of us is a distinct expression of the same

**Fernando de Noronha, PE**
Cacimba do Padre, ponto
de observação e praia
muito visitada por
praticantes de surfe

**Fernando de Noronha, PE**
Cacimba do Padre, an
observation point and
popular with surfer

não importa quem vive e quem morre, tudo é um constante nascer, morrer e renascer. Portanto, minha arte é celebração, caminho de autoconhecimento, poderosa forma de encontrar o mundo.

Como disse Otávio Rodrigues no texto do livro *Brasil Iluminado* (DBA, 1998), assim como Artur Lino, da Jureia, a história de minha fotografia se mistura com a de vários outros personagens de minha estrada: nela há seu Adenor no Rio Trombetas; seu Carmito e dona Alzira em Xiquexique do Igatu, na Chapada Diamantina, Bahia; Seu Marcelino de Ararapira, na Ilha de Superagüi, Paraná; dona Idaliana dos Quilombos do Silêncio do Matá Matá, em Óbidos, no Amazonas; dona Mariinha do Raso da Catarina, na Bahia; seu Samuca, no Parque Nacional Grande Sertão Veredas, em Minas Gerais; Telma da Ilha dos Lençóis, no Maranhão...

Meu mapa do Brasil é esse, com o nome dessas pessoas. São criaturas notáveis que me fizeram identificar este país mais até do que as próprias fotos.

## Sentimento, percepção, câmera e ação

Acordar cedo, antes mesmo do amanhecer, caminhar vários quilômetros horas a fio. Enfrentar a intempérie e o susto, arriscar-se. Contemplar, perceber, confiar em si, intuir, reparar. E aguardar, por muito tempo se for preciso, para captar e congelar um efêmero instante.

unit, a part of a delicate weaving which makes up the great terrestrial body. In nature, it is not important who lives and who dies, everything is a constant death and re-birth. My art then is a celebration, a path to self-knowledge, a powerful way to go to the encounter of the world.

Like Otávio Rodrigues said in the text of the book *Brasil Iluminado* (Brazil Illuminated; DBA, 1998), and also stated by Artur Lino, from Jureia – the story of my photography is mingled with the story of the many characters I've met on my journey: there is Adenor from the Trombetas River; Carmito and Dona Alzira from Xiquexique do Igatu, in Chapada Diamantina, Bahia; Marcelino de Ararapira, from Superagüi Island, Paraná; Dona Idaliana dos Quilombos from Silêncio do Matá Matá, at Óbidos, in the Amazon; Dona Mariinha from Raso da Catarina, in Bahia; Samuca, from the Grande Sertão Veredas National Park, in Minas Gerais; Telma from Lençóis Island, in Maranhão...

Durante anos de andanças, além de todas as aventuras, foram muitos apontamentos, ideias, planos que não acabam mais, sempre acompanhados da vontade de passar adiante não só as fotos, mas também um pouco do que se esconde por trás delas – a vida através das lentes parece trazer consigo este impulso em dividir o olhar.

Para conseguir boas fotos de paisagem ou mesmo de qualquer outro assunto é preciso, antes de tudo, sentimento e percepção. Como dizia Henri Cartier Bresson, um dos maiores fotógrafos de todos os tempos, fotografar é colocar na mesma linha de mira a mente, a visão e o coração. A sensibilidade e a inspiração têm de se sobrepor à técnica para que o resultado seduza e permaneça na memória do observador.

O verdadeiro fotógrafo de natureza só acrescenta alguma coisa ao que vê quando impregna seu trabalho de fortes sentimentos, quando escolhe o momento do clique numa fração infinitesimal de tempo, quase instintivamente, como se a câmera fotográfica fosse mera extensão dos olhos.

Na fotografia, a técnica e as ferramentas de trabalho obviamente são importantes, mas elas têm de estar a serviço da sensibilidade e da criatividade. A técnica se aprende lendo, estudando, praticando, fazendo cursos, mas o mais difícil é descondicionar e amadurecer o olhar, dominar a luz.

O exercício permanente de ver precisa ser uma ação livre e autêntica. A prática sempre renovada

This is my map of Brazil, with the names of all these people. They are notable characters who helped me identify this country more than the photographs themselves.

## Sentiment, perception, camera and action

Get up early, before the sun, walk for hours. Face bad weather and fear, put yourself at risk. Contemplate, perceive, trust in yourself, use your intuition, observe. And wait, for long periods of time if necessary, to capture and freeze one passing instant.

During years of trekking, besides all the adventures, there were many notes, ideas, never-ending plans always accompanied by the urge to show not only the photos, but also a little of what hides behind them – living life behind the camera seems to bring with it the impulse in sharing what you see.

To take good landscape pictures, or any other subject matter, you need, above all else, sentiment and perception. Like Henri Cartier Bresson, one of the best photographers of all times, said – photography is putting vision and heart down the same line of sight. Sensibility and inspiration have to overlay technique for the result to seduce and remain in the observer's memory.

The true nature photographer only adds something to that which he sees when he impregnates his work with strong sentiments, when he chooses the moment to click in an infinitesimal

**Rio Trombetas, PA**
Durante o mês de maio, a
Festa de São Benedito
compõe o cenário da
tradição remanescente
de antigos quilombos que
existiram na região

**Trombetas River, PA**
During the month of May,
the São Benedito Festival
is a symbol of reminiscent
traditions of the old slave
hideaways that existed in
the region

de contemplar humaniza a visão, permite a
inventividade, realça o eu interior.

O fotógrafo capta o espírito criador quando
escolhe o caminho com o coração e nele viaja
incansavelmente. Absolutamente íntegro, sem
propósito a alcançar, nem submissão a regras e
fórmulas. Diante da beleza e do eterno, esquece a
si próprio.

A recompensa é a experimentação quase
mística do encontro com a beleza. O fotógrafo
sente nesse instante fugaz algo parecido com o
satori hindu, um momento de revelação, um prazer

fraction of a second, almost instinctively, as if the
camera were a mere extension of his eyes.

In photography, technique and instruments
are obviously important, but they have to be at the
service of sensitivity and creativity. Technique
one learns from reading, studying, practicing,
taking courses, but the most difficult is to de-
condition and bring to maturity the mind's eye,
dominate light.

The permanent exercise of looking has to
become an authentic and freely enacted activity.
The continuous practice of contemplation

indescritível. Na respeitosa relação consigo mesmo, o fotógrafo cria algo de original e significativo. A imagem é apreendida com espontaneidade e fluência. O observador praticamente se confunde com a coisa observada, o vazio se instaura.

## Dicas para quem fotografa paisagens naturais

Disse José Saramago: se puderes ver, repara. Esse é o primeiro passo para fotografar bem qualquer paisagem. Quando estamos diante da natureza selvagem, vivemos uma experiência visual e sensorial completa. Os detalhes, os sons, os tons, o vento, o movimento das folhas e dos pássaros dão uma sensação de paz e plenitude. É por isso que as pessoas em viagens fotografam alucinadamente, porque precisam contar o que viram; a fotografia lhes serve de testemunho e recordação. No entanto, a maioria se frustra com o resultado, não só porque não tinham a ferramenta adequada para registrar aquela realidade, mas também porque não buscaram um olhar mais atento, não repararam.

Não basta uma rápida vista de olhos, é preciso contemplar detidamente a cena, relacionar-se com ela, deixar a visão correr solta. O fotógrafo tem de se sentir atraído, seduzido com o que está diante dos olhos. Se pensa apenas em como vai medir a luz ou que lente usar, o resultado dificilmente será animador. A partir daí ele passa a buscar um

humanizes vision, allows for inventiveness, strengthens the inner self.

The photographer captures the creative spirit when he chooses the road to follow with his heart and travels it without rest. Absolutely whole, without a preordained goal in mind, nor submitting to rules and formulas. When standing before beauty and things eternal, forget about you yourself.

The reward is an almost mystical encounter with beauty. The photographer feels in this fleeting moment something like what satori must feel, a moment of revelation, an indescribable pleasure. In a respectable relation with himself, the photographer creates something original and significant. The image is caught with spontaneity and fluency. The observer practically confuses himself with what he is observing, emptiness sets in.

## Tips for natural landscape photography

José Saramago once said that, if you are able to see, observe. This is the first step for photographing any landscape. When we stand before wild nature we undergo a complete visual and sensorial experience. The details, the sounds, the wind, the movement of the leaves and birds fill us with a feeling of peace and plentitude. This is why people on trips take so many pictures, they have to tell everyone what they saw; photography is a testimony to their memory. Many, however, are frustrated with the results, not only because they didn't have the right equipment

centro de atenção na cena, que detalhe ou elemento mais se destaca, o que gostaria de dar relevância, o conjunto da cena ou um detalhe; como está a luz no momento; como incluir toda a vastidão em um pequeno retângulo.

É bom lembrar que fotografia é síntese de uma realidade visual muito complexa. Os pintores partem de uma tela em branco, já os fotógrafos são obrigados a resumir e subtrair o que não importa, o que vai confundir e atrapalhar o observador.

Tal síntese não depende de equipamentos sofisticados, mas de uma decisão pessoal, da escolha de um enquadramento que melhor transmita a mensagem. A isso se chama compor. Uma boa composição é primordial para uma fotografia de alta qualidade.

O fotógrafo deve perceber, num breve instante, que aquela abordagem, aquele ângulo é simples-mente o melhor, o que mais agrada a seu íntimo.

A composição pode ser treinada com o que chamo de "exercícios mentais", em que o fotógrafo enquadra tudo numa moldura, num retângulo fictício. Como ficaria esta cena com a árvore mais para a direita ou centralizada? Como seria se eu a colocasse na vertical, ou se eu desse mais ênfase ao céu?

E se eu esperasse até a luz do entardecer? Nesse constante exercício, o fotógrafo percebe que para trazer o observador para dentro da cena precisa compor com criatividade, escolher a

for the moment, but also because they didn't wait for the right moment, they didn't observe.

A quick glance is not enough, one has to contemplate the scene for a certain length of time, relate to it, let your eye run free. The photographer has to feel attracted, seduced by what he is looking at. If you think only on how you're going to measure the light or which lens to use, you can hardly expect any gratifying results. Then the photographer begins to search for a center of attraction in the scene, an element or detail that stands out the most – what part would they like to highlight?, the whole scene or just a detail?, what kind of light is there?, how fit such vastness in a small rectangle?

It is worth remembering that photography is the synthesis of a very complex visual reality. Painters start with an empty canvas, photographers are obliged to resume or extricate that which does not matter, things that will confuse and hinder the observer.

This synthesis does not depend on sophisticated equipment, but on a personal decision, on the choice of the most adequate perspective to best transmit the message. That is what you call "composing". A good composition is of prime importance for quality photography.

The photographer should realize, in an instant, that a unique approach, a certain angle is simply the best, that which pleases him the most.

**Parque Nacional
do Pantanal Mato-
Grossense, MT**
Ninhal de biguás ao
anoitecer em região
alagada na época da
cheia

Mato Grosso Pantanal
National Park, MT
A nest of cormorants at
nightfall in a region
subject to yearly flooding

melhor luz, valorizar as formas e os volumes, a
profundidade...

A busca da melhor imagem requer tempo e
certa obstinação. Ocasionalmente é necessário
voltar várias vezes ao mesmo lugar, em diferentes
momentos do dia, para capturar a luz mais
surpreendente e mágica.

As melhores luzes acontecem geralmente ao
amanhecer e ao entardecer, quando elas estão mais

Composition can be trained with what I call
"mental exercises", where the photographer frames
everything within a fictitious rectangle. What would
this scene be like if the tree were more to the right
or centralized? What would it be like if set
vertically, or if I gave more emphasis to the sky?

And if I waited for the light to change later in the
afternoon? In this constant exercise, the
photographer realizes that to better put the

"quentes" e dão mais profundidade e contorno aos elementos. Ao amanhecer de um dia perfeito, a luz surge com um dourado maravilhoso, depois fica um pouco mais prateada. Geralmente após as 10 horas da manhã e até as 3 da tarde a luz fica "dura", sem nuances, sem contraste. É hora de usar filtros de densidade neutra para corrigir o excesso de luz ou o polarizador, que acentua as cores da mata, deixa o azul do céu mais intenso, dramatiza as cores das nuvens e elimina reflexos.

Os dias nublados geralmente são ótimos para fotografar porque a luz aparece difusa e realça as cores, e, em alguns casos, é possível tirar proveito do céu com as nuvens carregadas de chuva. O começo de uma tempestade, com aquele céu cinza-azulado ou aquele tom de bronze, pode render imagens de grande impacto. É importante ficar atento aos detalhes que podem servir como centro de interesse e o elemento mais importante da imagem; um primeiro plano rico em informações com um fundo de cores contrastantes sempre vai valorizar o produto final.

Embora sejam mais caras, recomendo a utilização de lentes luminosas (com diafragma f.2.8 para grandes-angulares e meias teleobjetivas e no máximo f.4 para teles longas), porque resultam em fotos com mais definição e possibilitam melhor tomada de fotos em condições desfavoráveis de luz. O corpo da câmera fotográfica e as lentes devem ser da mesma marca.

observer inside the scene he must compose creatively, choose the best light, emphasize the forms and volumes, the depth...

The search for the best image requires time and a certain amount of obstinacy. Sometimes it is necessary to go back to the same place, at different times of the day, to capture the most surprising and magic illumination.

The best light can usually be found in the early morning or late afternoon, when it is "hotter" and provides more depth of field and contour. At dawn on a perfect day, light appears with a wonderful golden glow, later becoming a little more silvery. Usually after 10 o'clock in the morning until 3 o'clock in the afternoon light gets "hard", without any nuances nor contrast. This is the best time to use neutral density filters to correct the excess of light or a polarizer, which emphasizes the colors of the forest, makes the blue in the sky more intense, dramatizes the colors of the clouds and rainbows and eliminates reflection.

Cloudy days are usually great for taking pictures because the light diffuses and heightens the colors and, in some cases, it is possible to take advantage of the sky with its clouds laden with rain. The beginning of a storm, while the sky is bluish-gray or a shade of bronze, can produce images with great impact. It is important to pay close attention to the details which might be used as the center of interest and the most important element of the image; a foreground rich in

A lente grande-angular e a macro são indispensáveis na fotografia de paisagens. A grande-angular tem ampla distância focal, isto é, consegue colocar tudo em foco e compor uma vasta área. A macro é importante para registrar detalhes, e a teleobjetiva para isolar e valorizar uma parte da cena e marcar mais os planos.

Para aqueles que desejam aperfeiçoar-se na fotografia de paisagem, minha dica é que adquiram uma câmera fotográfica 35 mm leve, profissional – uma Nikon F 100 ou F-5 (o ideal seriam dois corpos para o caso de um defeito técnico ou para utilizar dois tipos de filme ou lente); duas lentes grande-angular ou uma zoom com distância focal variando entre 20 mm e 35 mm (o ideal é uma de 17 a 35 mm); uma lente normal 60 mm ou uma meia tele 105 mm, que devem ser macroobjetivas. Estas são lentes muito úteis para retratos ou para isolar uma porção menor da paisagem do que aquela compreendida pelas grandes-angulares; uma teleobjetiva na faixa de 180 mm a 300 mm, ideal para isolar um detalhe da paisagem, para animais ou cenas mais distantes que se deseja enfatizar; um tripé de fibra de carbono (mais leve) com cabeça estilo *ball-head* (possui uma base rotativa que possibilita vários tipos de movimento); um monopé (menos estável, mas mais portátil, ideal para teleobjetivas mais longas quando se estão fotografando assuntos em movimento); um flash que permita a

information with a background of contrasting colors will always heighten the final product.

Although more expensive, I recommend the use of luminous lenses (with a f.2.8 diaphragm for wide-angle and half telephoto lenses and a maximum of f.4 for telephoto lenses), because they produce higher definition photos in less favorable light conditions. The camera and the lenses should all be of the same brand.

A wide-angle and a macro are indispensable for landscape photography. The wide-angle has wide focal distance, that is, it manages to put everything into focus while composing a vast area. The macro lens is important for registering details, and the telephoto for isolating and emphasizing a part of the scene giving prominence to the different planes.

For those who would like to become better landscape photographers, I would suggest they acquire a light, professional 35 mm camera – a Nikon F 100 or F-5 (the best would be to have two cameras in case of technical problems or to be able to use two types of films or lenses); two wide-angle lenses or one zoom with a focal distance varying between 20 to 35 mm (the ideal is one ranging between 17 and 35 mm); a normal 60 mm lens or a half-tele of 105 mm, which should be a macro. These are very useful lenses for portraits or to isolate a smaller portion of a landscape than that encompassed by the wide-angle lenses; a telephoto of around 180 to 300 mm, ideal for isolating a detail

**Pantanal, MS**
Muitas garças e tuiuiús
reunidos na época da seca
nos bordos de um bosque
de cerradões, no Retiro
São Roque

Pantanal, MS
Many herons and ibis
coming together during the
dry season on the slopes of
a forest in the *cerradões*,
at Retiro São Roque

utilização da luz de preenchimento para iluminar sombras ou partes escuras da foto; filtros UV (ultravioleta) Haze ou Skylight (diminuem a quantidade de raios ultravioleta que atingem o filme e que os olhos não veem, mas que o filme registra como um tom azulado; e servem também para proteger a lente); um filtro polarizador (para acentuar o azul do céu e contrastar as demais cores da natureza, além de eliminar reflexos); um filtro 81A para correção de cor (nas sombras de um dia nublado e frio ou ao amanhecer e

in the landscape, for animals or more distant scenes you would like to emphasize; a carbon fiber tripod (lighter) with a ball-head (providing various types of movement); a single-shaft support (less stability, but more portable, ideal for the longer telephotos when photographing subjects in movement); a flash able to use filling light to illuminate shadows or darker parts of the photo; Haze or Skylight UV filters (diminish the quantity of ultraviolet light not visible to the human eye, which affects the film and can later be seen as a bluish hue; they're good for

entardecer, quando o sol não mais toca os objetos, a luz assume um tom azulado bem distinto que o filme vai registrar).

Os filtros de cor âmbar da série 81 transformam essa luz azulada em um tom mais agradável ao olhar; um filtro graduado de densidade neutra (consiste de metade totalmente transparente e metade cinza-escuro. Em cenas em que o limite entre claro e escuro é bem definido, coloca-se a parte escura do filtro sobre a porção mais clara da foto, isso reduz a quantidade de luz que vai ser exposta e permite uma gama de contrate mais aceitável).

É óbvio que, quanto mais desejar fotografar paisagens selvagens, mais longe o fotógrafo terá de ir. Recomendo, portanto, uma série de acessórios que podem fazer a diferença: um kit de limpeza composto por um *blower* (pincel antiestático), papéis e líquido para limpeza de lentes; rebatedor de cor ouro e prata (útil para impedir a entrada de luz indesejável, jogar luz nas sombras, iluminar pequenos detalhes e suavizar o contraste da cena); uma mochila especial para fotógrafo com divisórias; pilhas recarregáveis, lanterna de cabeça, canivete, bolsas, capas ou sacos impermeáveis para proteger filmes e equipamento de chuva ou água.

Os melhores filmes para fotografar a natureza são de sensibilidade baixa (50 ou 100 ASA), que oferecem melhor definição e menor granulação. O

protecting the lens as well); a polarizing filter (to emphasize the blue in the sky and to contrast the other colors, besides eliminating reflection); an 81A filter to correct color (in the shadows on a cloudy and cold day or at dawn or dusk, when the sun no longer touches on objects, light takes on a very distinct bluish tone which the film will register).

Amber colored filters from the 81 series transform this bluish light into a tone more agreeable to the human eye; a graduated filter with a neutral density (consisting in one half totally transparent and the other dark gray. In scenes where the limit between clear and dark is well defined, you use the dark part on the clearer portion of the photo, this reduces the quantity of light that will be exposed and allows for more acceptable degrees of contrast).

It is obvious that the more you want to photograph wild landscapes, the further abroad you will have to go. I therefore recommend a series of accessories that can make a big difference: a cleaning kit made up of a blower (anti-static brush), lens cleaning paper and liquid; silver and gold light reflectors (useful for blocking undesired light or to throw light into shadows, illuminate small details and soften contrasts); a special photographer's backpack with different pockets, rechargeable batteries, a head-mounted flashlight, pocket knife, waterproof parka and sacks for protecting film and equipment from the rain.

problema é que, com pouca luz ambiente, é preciso fazer exposições mais longas e utilizar diafragmas mais abertos, o que pode resultar em fotos tremidas. Use tripé ou monopé quando a velocidade exigida pelo fotômetro for inferior a 1/60s. Para aumentar a possibilidade de não tremer a foto, especialmente em baixas velocidades, segure firmemente a câmera, apoie o corpo em algo estável, prenda a respiração, fixe os pés no solo. Use sempre uma velocidade acima da distância focal da lente: por exemplo, se você estiver usando lente de 105 mm, use velocidade 1/125, assim terá a garantia de que a foto sairá nítida.

Nas situações em que precisar de velocidade maior de obturação e não dispuser de filmes mais sensíveis, utilize o recurso de "puxar" a sensibilidade (ASA) do filme. Se você tem um filme de ISO 50, ajuste o indicador de sensibilidade na câmera fotográfica para ISO 100 e fotografe normalmente, depois não se esqueça de pedir ao laboratório para revelar com 1 ponto a mais ou como ISO 100.

Em fotos de paisagens, o fotógrafo geralmente quer que tudo saia perfeitamente em foco. Use lentes grandes-angulares e dê uma abertura pequena (f.11, 16 ou 22), ajuste o foco a aproximadamente um terço da distância entre você e o assunto principal. Utilize o botão de visualização da profundidade de campo caso a câmera tenha esse dispositivo.

The best films for photographing nature are low sensitivity ones (50 or 100 ASA), which offer better definition and less granulation. The problem is that, with little natural light, it is necessary to use longer expositions and to use wider open diaphragms, all of which could produce shaky photos. Use a tripod or single-shaft support when the velocity demanded by the photometer is below 1/60s. To better protect against trembling photos, especially when using low velocities, hold on firmly to the camera, lean up against something firm, hold back your breath, and firmly plant your feet into the ground. Always use a velocity above that of the focal distance of your lens: for example, if you are using a 105 mm lens, use a 1/125 velocity, you can then guarantee that your photo will come out sharp and clear.

In situations in which you need a higher shutter speed and you don't have any more sensitive film, you can use a resource to "heighten" the sensitivity (ASA) of the film. If you have an ISO 50 film, adjust the sensitivity indicator on the camera to ISO 100 and take your picture as you normally would; later don't forget to ask the laboratory to develop your picture with one point more, or to develop it as they would a ISO 100.

In landscape photos, the photographer usually wants everything to be in complete focus. Use wide-angle lenses with a small opening (f.11, 16 or 22), adjust the focus around one third of the distance between you and the main subject. Use

**Rio Aquidauana, MS**
Vaqueiros pantaneiros
em ação

Aquidauana River, MS
Cowhands from the
Pantanal in action

Ao fotografar cachoeiras ou movimento de água, utilize tempo de exposição maior que 1 segundo, com tripé. O efeito de véu na água é extremamente interessante. Para congelar pingos e borrifos de água, utilize velocidade acima de 1/250.

Utilize várias formas de exposição *(bracketing)* em cenas com muita variação de luz e cor ou com forte cor predominante. Em cenas com prevalência de cores brancas, neve, dunas, ou reflexos de sol

the depth of field visualization button if your camera has this resource.

To photograph waterfalls or water movement, use an exposition time longer than 1 second, with a tripod. The hazing effect on the water is extremely interesting. To freeze drops and water vapor, use a velocity above 1/250.

Use various forms of bracketing in scenes with a lot of light or color variations or with one single

em superfície de mar ou rio, o fotômetro tende a pedir subexposição. Não se deixe enganar, aumente a exposição em 1.5 ou 2.0 pontos. Nas situações muito escuras ou em que predomina o preto, faça o contrário, diminua a exposição.

Para conseguir o efeito *panning*, utilize velocidades baixas (1/8 até 1/30), acompanhe o movimento do objeto com a câmera fotográfica e dispare o obturador enquanto segue o movimento. Com velocidades acima de 1/30 em cenas de cavalos correndo em alta velocidade, o *panning* resultará em animais e fundo um pouco riscados; enquanto em velocidades mais baixas que 1/30 é possível conseguir um fundo totalmente borrado e os cavalos levemente borrados, mas em foco. O resultado é parecido com uma pincelada numa pintura, expressa movimento e produz efeito estético muito interessante.

O melhor enquadramento geralmente é aquele que descentraliza o assunto principal da imagem. Procure dar dinamismo e impacto à composição. Antes de clicar, observe a cena nos mínimos detalhes, busque novas abordagens, faça várias fotos colocando o assunto principal em pontos diferentes do centro e depois analise qual imagem é esteticamente mais forte. Evite clichês com molduras artificiais de sua foto, como, por exemplo, preencher as laterais da imagem com folhagens ou colocar o assunto principal dentro de formas geométricas.

strong predomination of color. In scenes with a predominance of white, snow, dunes or the reflection of the sun on the ocean or river, the photometer tends to ask for sub-exposure. Don't be fooled, increase the exposure 1.5 or 2.0 points. In darker situations, or those in which black predominates, do the contrary, diminish the exposure.

To get a panning effect, use low velocities (1/8 to 1/30), accompany the movement of the object with the camera and shoot the shutter while you are in movement. With velocities above 1/30, in a scene with fast running horses, panning will result in slightly stripped animals and background; while at velocities slower than 1/30 it is possible to get a totally hazy background with the horses slightly blotched, but in focus. The result is similar to that of a paintbrush stroke on a painting, it expresses movement and produces a very interesting aesthetic effect.

The best perspective is usually the one which de-centralizes the images main subject. Try to provide your composition with dynamics and impact. Before clicking, observe the scene in its smallest details, look for new approaches, take several shots setting the main subject on different points in the center and later analyze the image to find out which is aesthetically the strongest. Avoid cliches with artificial frames in your photos, like, for example, filling the borders of an image with leaves or fitting the main object within geometric forms.

# região norte northern brazil

**F**ormada pelos Estados de Amazonas, Rondônia, Acre, Roraima, Amapá, Pará e Tocantins, o mais novo da federação, a Região Norte é a mais extensa e menos populosa do país, com 3, 8 milhões de quilômetros quadrados, onde se distribuem desigualmente cerca de 13 milhões de habitantes. Esses são apenas dois dos extremos do território, que possui a maior bacia hidrográfica do mundo e também a maior extensão contínua de floresta tropical do planeta. A Floresta Amazônica, que na verdade se confunde com a própria região, é uma

**M**ade up of the states of Amazonas, Rondônia, Acre, Roraima, Amapá, Pará and Tocantins, the newest state in the federation, the Northern Region is the largest and less populated in the country, with 3.8 million square kilometers over which 13 million inhabitants are distributed. These are only two of the extremes found in the region, which possesses also the largest hydrographic basin in the world as well as the world's longest continuous extension of tropical forests. The Amazon Forest, which in reality is many times confused with that of the region

reunião de ecossistemas de alta biodiversidade e onde, certamente, muita coisa ainda se mantém desconhecida da ciência. No centro desse retrato, porém, são constantes as ameaças de atividades exploratórias predatórias e ilegais, que fazem com que a região seja alvo de organizações nacionais e mundiais de proteção ambiental, sob a égide do desenvolvimento sustentável.

Nas paisagens de mata e de água, com sua teia de rios e igarapés que inundam as várzeas de tempos a tempos, os habitantes, índios e caboclos ancestralmente adaptados a essa realidade, exibem primorosas técnicas de construção de barcos e habitações, além de serem profundos conhecedores da floresta e de inumeráveis recursos alimentares e medicinais.

Nesse cenário, foram selecionadas para esta edição belas imagens de alguns dos principais parques nacionais, como o Pacaás Novos, em Rondônia, e o da Serra do Divisor, no Acre, de acesso extremamente difícil, banhado pelos belos meandros do Rio Moa. Além dos parques nacionais do Pico da Neblina, na Amazônia, e do Monte Roraima, com seus misteriosos *tepuis*.

O Rio Negro e seus incontáveis arquipélagos, e um pouco da maior cidade em floresta de que se tem notícia: Manaus. No Pará, algumas diversas paisagens e, no Tocantins, os encantos do Rio Araguaia. Imagens colhidas durante a longa expedição de quatro meses no ano de 1996.

itself, is an assembly of highly bio-diverse ecosystems and where many things are still today unknown to science. In the center of this portrait however the threat of illegal predatory and exploratory activities are a constant, making the region a target for national and international environmental protection organizations, under a flag of sustainable development.

In these forest mantled or watery landscapes, with their web of rivers and *igarapés* which periodically flood the lowlands, the inhabitants, Indians and *Cabolcos* (half-breeds) ancestrally adapted to this reality, exhibit artful techniques in the construction of boats and dwellings, besides their profound knowledge of the forest and its innumerous alimentary and medicinal resources.

From within this scenario, beautiful images of some of the principal national parks, such as Pacaás Novos, in Rondônia, and the Serra do Divisor, in Acre, with an extremely difficult access and washed by the meanders of the Moa River, have been selected. There are also photos of the Pico da Neblina National Park, in the Amazon, and Mount Roraima, with its mysterious *tepuis*.

The Negro River and its uncountable archipelagos, and a little on the biggest city in the middle of a forest known today: Manaus. In Pará, a few diverse landscapes, and in Tocantins, the charms of the Araguaia River. The images here were taken during a long four-month expedition in 1996.

**Rio Juruá-Mirim, AC**
Na Serra do Divisor, noroeste
do Estado do Acre, meandros
da cabeceira do Rio Juruá-
Mirim, destacando-se um
*oxbol lake* (lago em
crescente) e um meandro em
processo de recorte no
pedúnculo – um caso de
autocaptura em rios
meandros, regionalmente
denominados sacados

Juruá-Mirim River, AC
In the Divisor Mountains, in
northwestern Acre, meanders at
the headwaters of the Juaruá-
Mirim River with an oxbow lake
and a meander in the process of
cutting off its lobe, regionally
known as "sacks"

**Rio Moa, AC**
Os notáveis meandros do alto
Rio Moa, entre ondulações rasas
revestidas por florestas densas
semimascaradas por nuvens
rasas, mais características do
Brasil central, em plena
Amazônia

Moa River, AC
The remarkable meanders of the
upper Moa River among shallow
undulations mantled by dense
forests and masked by low
clouds – more characteristics of
central Brazil but here seen in
the middle of the Amazon

**Rio Moa, AC**
Semipalafitas, moradias
típicas nas margens do Rio
Moa, dentro do Parque
Nacional da Serra do Divisor.
A base das habitações marca
o nível máximo atingido pela
cheia do rio

Moa River, AC
Semi-stilt houses, typical
dwellings along the margins of
the Moa River in the Serra do
Divisor National Park. The base
of the dwellings marks the
highest level attained by the
flooding river

**Rio Moa, AC**
Detalhe do Rio Moa
circundado por florestas
densas e biodiversas do
noroeste acriano incluindo
vegetação rasteira em área
de coroa meândrica

Moa River, AC
Detail of the Moa River circled
by dense biodiverse forest in
the northwestern region of
Acre, showing as well the low-
lying vegetation on a
meandrous spit of land

**Pacaás Novos, RO**
Cachoeira por entre
patamares de serranias
florestadas a noroeste do
Estado

Pacaás Novos, RO
A waterfall amid forested
mountain landings in the
northwest of the state

**Pacaás Novos, RO**
Troncos fenecidos de uma
região florestal degenerada
pelos garimpos de cassiterita
de Ariquemes

Pacaás Novos, RO
Withered trunks in a forest
region degenerated by the
mining of tin ore of Ariquemes

**Serra do Divisor, AC**
Porto beiradeiro com canoas
de motor de rabeta e, em
segundo plano, embarcação
para transporte de gado no
Rio Purus

Divisor Mountains, AC
A riverside port with
motorized canoes and, in the
background, a barge used to
transport livestock on the
Purus River

**São Gabriel da Cachoeira, AM**
As cachoeiras e corredeiras que dão nome à
cidade constituem o primeiro obstáculo rio
acima no vale do Rio Negro, um ponto
significativo de uma linha de quedas
interiorizada da Amazônia norte-ocidental.
Ao fundo, silhuetas das primeiras elevações
e serranias do noroeste amazônico

São Gabriel da Cachoeira, AM
The waterfalls and rapids which lend their
name to the city constitute the first obstacle
up river in the Negro River valley, an
important point along a fall line in
northwestern Amazon. In the background
the silhouettes of the foothills in
northwestern Amazon

**Pico da Neblina, AM**
Serra do Baruri, englobada na
Reserva Maturacá, dos índios
Ianomâmis. Remanescentes
de palmáceas de áreas
desmatadas do piemonte de
serranias florestadas

Pico da Neblina, AM
Baruri Mountains, part of
the Ianomâmis Maturacá
Reserve, remnants of
palmaceaous plants on
deforested mountain peaks

**Pico da Neblina, AM**
Detalhes das intercalações de
bromélias típicas de floresta
tropical de altitude, de clima
superúmido, acima de 2.000
metros de altitude

Pico da Neblina, AM
Details of interpolated
bromeliads typical of high-
altitude tropical forests with
super-humid climate, 2,000
meters above sea level

**Pico da Neblina, AM**
Carregadores e mateiros em trilhas acima de 2.000 metros de altitude, entre açaizeiros e bromeliáceas típicas

Pico da Neblina, AM
Load bearers and woodsmen walking on trails high 2,000 meters above sea level, among typical *açaí* palms and bromeliads

**Pico da Neblina, AM**
Miniecossistema de plantas carnívoras do gênero das *Heliamphoras*, no entremeio de vegetação de cimeira

Pico da Neblina, AM
A mini-ecosystem of carnivorous plants of the *Heliamphoras* family amid vegetation found at the peak

**Rio Cauburis, AM**
Panapaná de borboletas na Amazônia norte-ocidental reunidas para sugar sais minerais das margens úmidas do rio

Cauburis River, AM
A *panapaná* (cloud) of butterflies in northwestern Amazon, gathered to suck the mineral salts from the humid river bank

**Barcelos, AM**
Ilhas alongadas e densamente florestadas do Rio Negro, no Arquipélago de Mariuá, com canais centrais bem distintos em relação aos paranás de outras porções dos rios amazônicos

Barcelos, AM
Elongated and densely forested islands on the Negro River, in the Mariuá Archipelago, with distinct central channels in relation to the offshoots seen in other portions of Amazonian rivers

**Barcelos, AM**
No médio Rio Negro, em
época de águas baixas,
excepcionalmente emergem
grandes bancos de areias
claras na paisagem fluvial
amazônica

Barcelos, AM
Middle Negro River, at low
water season large banks of
clear sand emerge, rarely seen
in the fluvial landscape of the
Amazon region

**Serra do Aracá, AM**
Ao norte da região de Barcelos,
cimeira e bordos em área de
vegetação rupestre nos setores
escarpados e florestas baixas
de cimeira

**Aracá Mountains, AM**
North of the Barcelos region, the
peaks and cliff borders with its
rupestrian vegetation

**Serra do Aracá, AM**
Corredeiras lineares
escorrendo pelos bordos
escapados da Serra do Aracá
com águas alimentadoras do
Igarapé do Anta

Aracá Mountains, AM
Rapids flowing over the cliffs of
the Aracá Mountains and
flowing into the Anta Igarapé

**Rio Negro, AM**
Transporte de madeira

Negro River, AM
Transport of timber

**Rio Jaú, AM**
Tronco esgalhado de árvore em processo adiantado de fenecimento às margens de um igapó com matas permanentemente inundadas

**Jaú River, AM**
A tree trunk decomposing on the banks of an *igapó* or permanently flooded forest

**Parque Nacional do Jaú, AM**
No Rio Carabinani, boca de igarapé com beiradas inteiramente florestadas na margem esquerda. Ao fundo, um dos muitos cenários da atmosfera da Amazônia ocidental

**Jaú National Park, AM**
On the Carabinani River, the mouth of an *igarapé* with its left bank covered in forest. In the background, a typical western Amazon scenario

*pp. 78-79*
**Arquipélago de Anavilhanas, AM**
Leito do baixo Rio Negro e ilhas centrais alongadas do gigantesco arquipélago fluvial, exibindo florestas insulares biodiversas e contorcidos igarapés

**Anavilhanas Archipelago, AM**
The bed of the lower Negro River and elongated central islands of the immense fluvial archipelago with its insular biodiverse forests and crooked *igarapés*

**Manaus, AM**
O entardecer no Porto de Manaus:
barcaças e gaiolas ícones da importância
da circulação fluvial no grande leque de
rios que convergem para a região

Manaus, AM
Late afternoon in the Port of Manaus:
large barges and steamboats, icons of the
importance of fluvial transportation within the
maze of rivers which converge upon the region

**Manaus, AM**
O Teatro Amazonas, símbolo do auge do ciclo da borracha
(1850-1910), compõe a paisagem da região central de
Manaus. Acima da linha do Rio Negro, nuvens escuras
anunciam as características chuvas do fim de tarde

**Manaus, AM**
The Amazonas Theater, a symbol of the rubber cycle
(1850-1910) in the center of town. Above the Negro River,
black clouds announce the approach of the characteristic
afternoon rains

*p. 82*

**Cachoeira Grande, RR**
As primeiras cachoeiras dos bordos do platô do Monte Roraima tombando sobre vales florestados das serranias que precedem La Gran Sabana

Cachoeira Grande, RR
The first waterfalls along the border of the Mount Roraima plateau falling into forested valleys in the mountains which precede La Gran Sabana

*p. 83*

**Monte Roraima, RR**
A noroeste do Estado, os lajedos estriados dos altos do maciço, exibindo cabeceiras de riachos que se irradiam pelas serranias florestadas e terras baixas

Mount Roraima, RR
In the northwestern part of the state, the large flat rocks found high in the massif, showing the streams which spread out into the forested mountains and lowlands

*pp. 84-85*

**Monte Roraima, RR**
Quase sempre nebuloso e cercado por La Gran Sabana com ondulações características, ecossistema que se estende da região norte do Estado de Roraima Venezuela adentro

Mount Roraima, RR
Constantly fog-covered circled by La Gran Sabana with its characteristic undulations, an ecosystem which extends from northern Roraima into Venezuela

**Monte Roraima, RR**
No topo dos patamares laterais, um refúgio de bromeliáceas de alta significação paleoclimática e botânica

Mount Roraima, RR
On top of the lateral platforms, a refuge for bromeliads with paleo-climatic and botanical interest

**Lavrado, RR**
Campos herbáceos com
buritizais beiradeiros
remanescentes da floresta-
galeria que recortava as
ondulações rasas do Lavrado
(setor muito arenoso de
Roraima que não permite o
estabelecimento de florestas)

Lavrado, RR
Herbaceous fields with
riverside *buriti* palm forests,
remnants of gallery forests
which cut through the shallow
undulations of Lavrado (a very
sandy sector in Roraima unable
to sustain forests)

**Rio Cotingo, RR**
Ao norte de Roraima, índios
Ingaricós circulam com as
típicas ubás, usadas tanto no
transporte de pessoas quanto
de mercadorias

Cotingo River, RR
In northern Roraima, Ingaricós
Indians with their typical *ubás*,
used for transporting people
and goods

*pp. 90-91*
**Rio Trombetas, PA**
Floresta beiradeira em
época de cheia com
moradias ribeirinhas

Trombetas River, PA
A riverside forest in the flood
season, with local dwellings

**Itaituba, PA**
Paisagem de exceção em
réstia de ilhas na beirada da
Floresta Amazônica, com as
delicadas palmas de açaizeiros

Itaituba, PA
A landscape with a series of
islands next to the Amazon
forest, showing the delicate
leaves of the *açaí* palm

**Monte Alegre, PA**
Topografia ruiniforme da Pedra
do Altar com a espetacular
placa rochosa naturalmente
suspensa, localizada em sítio
arqueológico com inscrições
rupestres pré-históricas de
até 14.000 anos

Mount Alegre, PA
Ruin-like topography of the
Altar Rock with its spectacular
naturally suspended rock plate,
located in an archaeological
site with pre-historic rock
inscriptions 14.000 years old

**Serra do Cachimbo, PA**
No centro-norte do Pará,
queimada avançando sobre
a mata nativa amazônica de
terra firme

Cachimbo Mountains, PA
In north-central Pará, a forest
fire in the Amazon forest

**Carajás, PA**
Trilhas de escavação a céu
aberto nas encostas superiores
da Serra dos Carajás, a maior
reserva de minério de ferro de
qualidade do mundo

Carajás, PA
Open iron ore excavation
trails on the side of the
Carajás Mountains, the largest
reserve of high-quality iron
ore in the world

**Rio Araguaia, TO**
Parque Nacional do Araguaia.
Sua principal característica é a ampla
rede de drenagem, constituída por
rios de grande e médio porte, com
formação de ipucas – furos no igapó –
que fazem a ligação entre os vários
rios e córregos na época das cheias

**Araguaia River, TO**
Araguaia National Park. The region´s
principal characteristic is the wide-
spread drainage system made up of
both large and small rivers and the
formation of *ipucas* – passage ways –
between the flooded forests which
connect the many rivers and streams
during the flood season

# região nordeste **northeastern brazil**

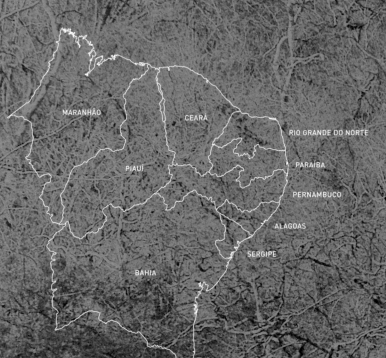

MARANHÃO

CEARÁ

RIO GRANDE DO NORTE

PIAUÍ

PARAÍBA

PERNAMBUCO

ALAGOAS

SERGIPE

BAHIA

Falar sobre o Nordeste brasileiro imediatamente remete a sol, praias e festas populares. Apesar de ser a mais pobre do Brasil, são inúmeros os atrativos naturais da região que congrega a maior diversidade cultural do país, englobando os Estados da Bahia,

Northeastern Brazil immediately brings to memory sun, beaches and folkfests. Although being the poorest region in Brazil it has innumerous natural attractions and congregates the largest cultural diversity in the country. It includes the states of

Sergipe, Alagoas, Pernambuco, Paraíba, Rio Grande do Norte, Ceará, Piauí e Maranhão.

Tanta riqueza se encontra enraizada na História, que colocou juntos, desde os primeiros tempos, portugueses, negros africanos, holandeses, franceses e índios e ficou traduzida na arquitetura das cidades mais antigas, na exótica culinária e nas tradições seculares da gente nordestina.

O mar de águas limpas e mornas, dos verdes tons do Ceará ao azul-profundo do arquipélago vulcânico de Fernando de Noronha, é acompanhado em boa parte da costa pela formação de campos de dunas móveis de areia, que atingem o ponto máximo no litoral maranhense.

Em meio às maravilhas naturais, no coração da região sobrevive outra paisagem, fortemente castigada pela seca, conhecida como o semiárido brasileiro.

O Raso da Catarina é retrato extremo desse sertão de caatingas, domínio fitogeográfico de solo raso e cascalhento, de espécies xerófitas e espinhentas de plantas que resistem à forte estiagem, junto com o sofrido povo sertanejo.

Nessa porção de terra ressequida, estão também os parques nacionais do Piauí, com a maior concentração de sítios pré-históricos da América e formações rochosas. Mais ao sul, o verde começa a aparecer novamente por entre os cânions, cachoeiras e vilas perdidas no tempo da Chapada Diamantina.

Bahia, Sergipe, Alagoas, Pernambuco, Paraíba, Rio Grande do Norte, Ceará, Piauí and Maranhão.

This vast cultural wealth finds its roots in the history of Brazil, which put here together, since its discovery, Portuguese, Negroes, Africans, Dutch, French as well as the Indians, as can be seen translated in the architecture of its older cities, the exotic food and in the secular old traditions of the region's inhabitants.

The ocean with its clear and warm waters, from the greenish tones found in Ceará to the deep-blue around the volcanic archipelago of Fernando de Noronha, and with a large portion of its coastline formed by mobile dune fields, which grow to their largest width near the coast of Maranhão.

In the middle of these natural wonders, in the heart of the region, we find a different kind of landscape, suffering intensely from drought and known as the Brazilian semi-arid.

The Raso da Catarina is a portrait of this back-country drought area, phyto-geographically dominated by shallow and rocky soil, with xerophytic and thorny plants which can take heavy drought, as can the suffering local inhabitants.

In this region of dry land we can also find the Piauí National Park, with the largest concentration of pre-historic sites of the Americas and rocky formations; and, farther south, greenery once again begins to appear within the canyons, waterfalls and villages lost in time of the Chapada Diamantina.

**Parque Nacional dos Lençóis Maranhenses, MA**
Visão espetacular dos lençóis com emenda de
dunas volteadas e depressões argilo-arenosas
biogênicas nos desvãos dos montes de areias
brancas

Lençóis Maranhenses National Park, MA
A spectacular view of the Lençóis Maranhenses
with argillaceous-sand depressions in the middle
of the white sands

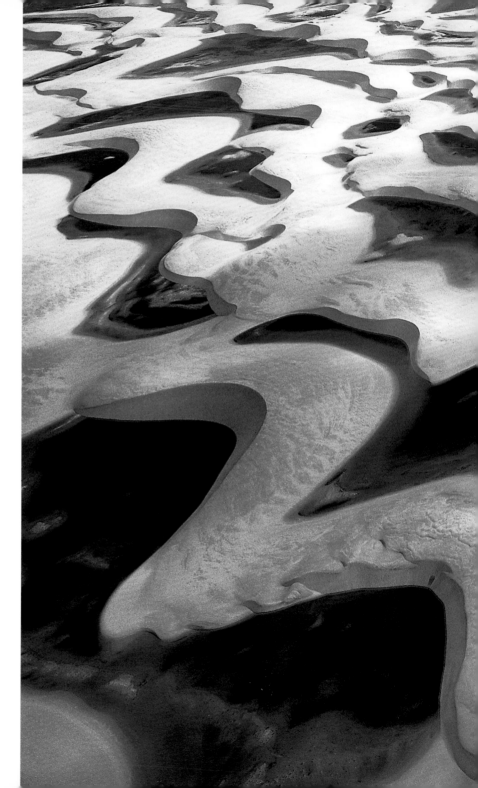

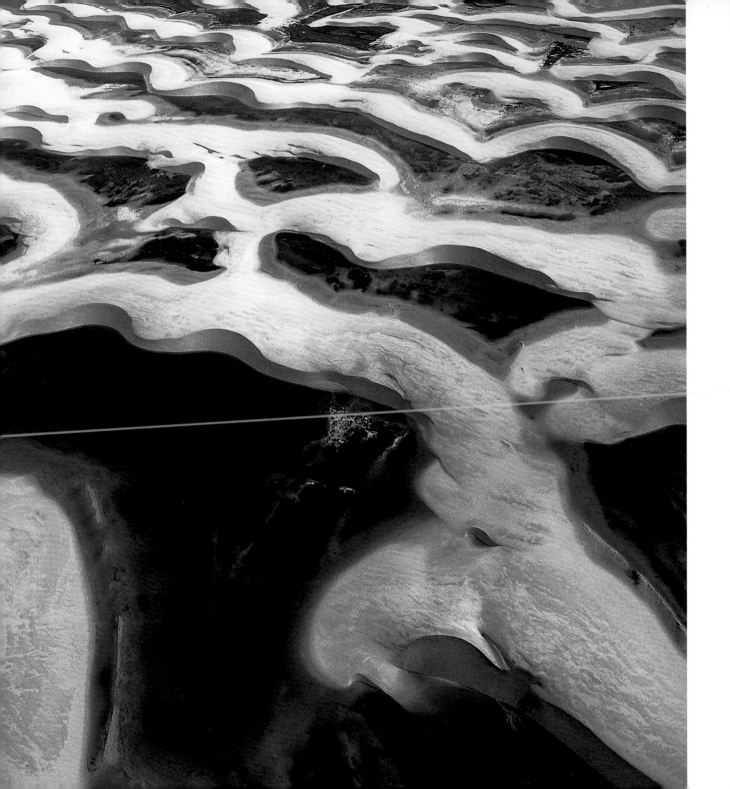

**Parque Nacional dos Lençóis Maranhenses, MA**
Bordo de muitas e graciosas lagoas na parte posterior de altas dunas dos Lençóis Maranhenses, em lugarejo chamado Queimada dos Britos

Lençóis Maranhenses National Park, MA
A series of gracious lagoons in the midst of high dunes in the Lençóis Maranhenses, located at Queimada dos Britos

**Lençóis Maranhenses, MA**
Laguna rasa interdunar no
bordo interno dos lençóis em
sítio onde em meio às areias
ocorrem bosquetes de
vegetação psamófilas

Lençóis Maranhenses, MA
Inter-dune lagoon on the
internal border of the Lençóis
Maranhenses with clumps of
*psammophilous* vegetation
amidst the sands

**Rio Cururupu, MA**
Na região das Reentrâncias Maranhenses, embarcações de velas multicoloridas marcam a paisagem parcamente habitada no noroeste do Estado

**Cururupu River, MA**
In the region of the Maranhão Embayments, the multicolored sailboats mark a sparsely inhabited area to the northwest

**Rio Cururupu, MA**
Nas Reentrâncias Maranhenses, barcaça típica transportadora de pessoas e pequenas mercadorias. Nota-se o sistema de remos necessário até que se encontre um setor do rio mais próximo à costa adequado ao uso de vela com retranca longa e de mastro curto

**Cururupu River, MA**
In the Maranhão Embayments area typical barges transport people and merchandise. One can see the oars used to row the boats further up to the coast, more adequate for using the sails with their short masts and long booms

**Cururupu, MA**
Cidade à margem do Rio Cururupu, na região das Reentrâncias Maranhenses, com embarcação motorizada e notável casarão ribeirinho de tempos coloniais

**Cururupu, MA**
Town on the banks of the Cururupu River in the Maranhão Embayments area with motorboats and a noteworthy riverside colonial house

**Porto Alegre, MA**
Aldeia palafítica da comunidade designada pelo expressivo nome de Porto Alegre, na região das Reentrâncias Maranhenses, uma verdadeira *ubá-tuba* (porto canoeiro, em Tupi)

**Porto Alegre, MA**
A village on stilts with the expressive name of Porto Alegre (Happy Harbour), in the Maranhão Embayments area, a true *ubá-tuba* (canoe port in Tupi)

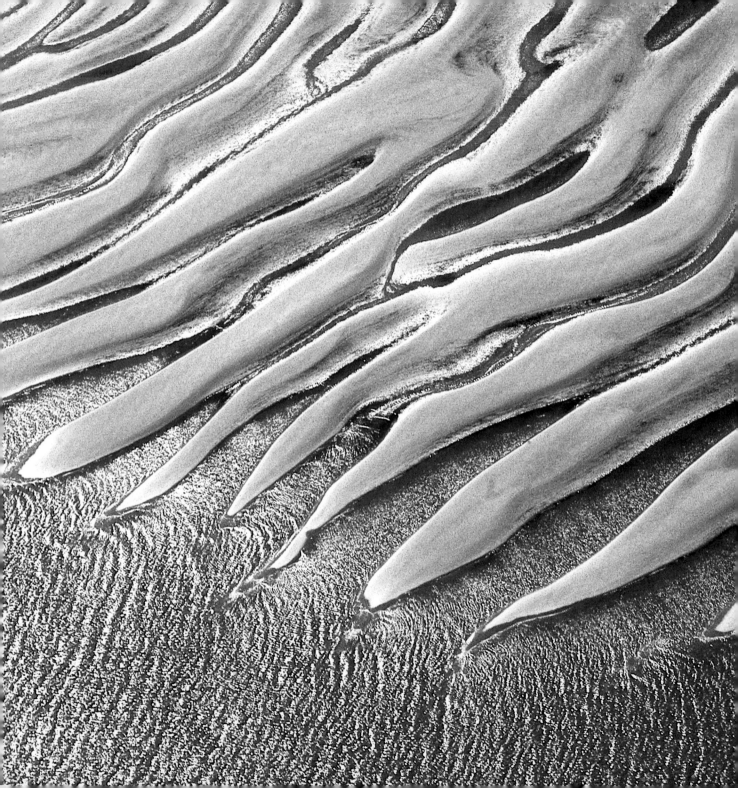

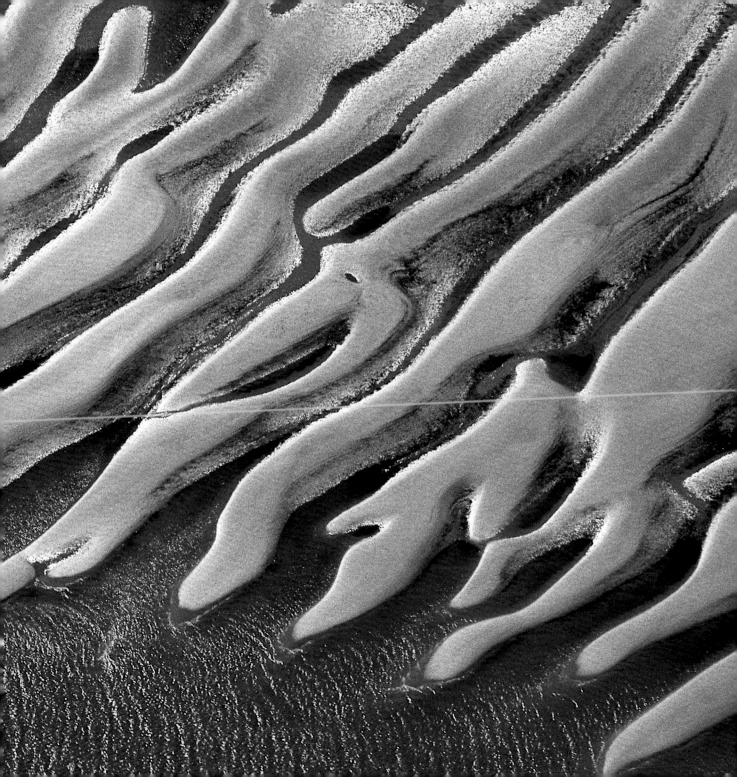

*pp.106-107*
**Caçacueira, MA**
Praias beiradeiras das Reentrâncias
Maranhenses multilavradas pelo
descenso de águas de marés

Caçacueira, MA
Riverside beaches of a Maranhão
Embayments washed by the ocean tide

**Rio Preguiças, MA**
Bases arenosas no bordo interno dos
Lençóis Maranhenses, com moradias
temporárias e estratégicas para garantir
a atividade pesqueira

Preguiças River, MA
The sand-bed on the internal border of
the Lençóis Maranhenses with makeshift
temporary houses strategically used for
fishing

**Delta do Parnaíba, PI**
Casal nas dunas frontais do delta do Rio
Parnaíba, extremo norte do Estado

Parnaíba Delta, PI
A couple walks along the frontal dunes of
the Parnaíba River delta, extreme north
of the State

**Delta do Parnaíba, PI**
Lençóis arenosos do tipo que ocorre
no noroeste do Maranhão e em ilhas
arenosas internalizadas

Parnaíba Delta, PI
Sandy sheets like those which occur in
northeastern Maranhão and on sandy islands

**Parque Nacional das Sete Cidades, PI**
Topografia ruiniforme com bizarros detalhes dos montículos da chamada Pedra do Elefante, talhados com arenitos gerados há duas centenas de milhões de anos. São feições subatuais recentes sobre antiquíssimos extratos areníticos

**Sete Cidades National Park, PI**
Ruin-like topography exhibiting bizarre details of the Elephant Rock mound, carved out of sandstone created two hundred million years ago. The more recent features carved out on ancient sand extracts

**Parque Nacional das Sete Cidades, PI**
Torreões areníticos da chamada Sétima Cidade, exibindo espetacular topografia ruiniforme criada em condições climáticas diversas da atual

**Sete Cidades National Park, PI**
Sand knolls of the so-called *Sétima Cidade* (Seventh City), showing a spectacular ruin-like topography created in much different conditions than those of today

**Parque Nacional da Serra
das Confusões, PI**
Bordos rochosos areníticos expostos
no piemonte da serra, com embriões
de pontões rochosos em formação,
incluindo caatingas arbóreas na base
e outras tantas no topo

Confusões Mountains National Park, PI
Rocky sandstone cliffs on the peaks of
the mountains, with embryonic rocky
points and stunted tree growth at the
base and top

**Parque Nacional da Serra da Capivara, PI**
Topografia ruiniforme de arenito nos
bordos interiores do Boqueirão das
Andorinhas, exibindo caatinga
semiarbórea nos desvãos e grotas dos
rochedos areníticos

Capivara Mountains National Park, PI
Ruin-like sandstone topography on the
inside slopes of the Boqueirão das
Andorinhas, with stunted tree growth in
the gorges

**Parque Nacional da Serra da Capivara, PI**
Paisagem ruiniforme de torreões
remanescentes incluindo pedras
suspensas nos bordos da Serra da
Capivara, a sudoeste do Estado

Capivara Mountains National Park, PI
Ruin-like landscape with mounds and
suspended rock on the border of the
Capivara Mountains, in the southwestern
part of the state

**Parque Nacional da Serra
da Capivara, PI**
Pedra Furada em esporão
arenítico rochoso que abriga uma
das mais expressivas grutas de
intemperismo de todo o país

Serra da Capivara National Park, PI
*Pedra Furada* (Hole Rock) in a rocky
sand spur which is home to one of
the most expressive weathering
holes in the country

*pp.116-117*
**Jericoacoara, CE**
Cenário espetaculoso de praia em
Jericoacoara, com antiga gruta de
abrasão interiorizada pelo descenso
recente do nível do mar

Jericoacoara, CE
Spectacular view of the
Jericoacorara Beach with an old
abrasion cave formed by the recent
lowering of the ocean level

**Praia Guriú, CE**
Porto canoeiro na margem do
Rio Guriú, dotada de alta
tipicidade nas embarcações
com velas de içar

Guriú Beach, CE
A canoe port on the banks of
the Guriú River with its typical
sailboats

**Rio Curu, CE**
Barco solitário singrando
pelas águas

Curu River, CE
A solitary boat cuts
through the waters

**Praia Lagoinha, CE**
Litoral norte do Ceará, no Pontal da Praia
Lagoinha, com palmeiras beiradeiras,
barranquinhas de escavação e areias
extensivas amarelo-avermelhadas

Lagoinha Beach, CE
The northern coast of Ceará, at Pontal of
Lagoinha Beach, with marginal palms,
excavation barriers and extensive reddish-
yellow sands

**Quixadá, CE**
Bordos de um inselberg
granítico, tendo na base águas
com ninfeias do Vale
Monumental, incluindo pedras
tombadas na periferia do
monte rochoso

Quixadá, CE
Face of a granite inselberg with
Monumental Valley water lilies
and fallen rocks at its base

**Quixeramobim, CE**
Espécies cactáceas rupestres de alta
significância no interior dos padrões de
ecossistemas nordestinos. No serrote,
algumas caneluras irregulares geradas pela
escorrência de água acumulada no topo do
pequeno monte rochoso em períodos de
verão chuvoso

**Quixeramobim, CE**
Rock-cactus species, noteworthy in the
northeastern ecosystem. Irregular fissures
cover the small range generated by the
accumulation of water at its peak during
rainy summers

**Morro Branco, CE**
No noroeste do Estado, bordos ruiniformes dos tabuleiros areníticos, com a brancura espetacular de formações areníticas dispostas acima das praias atuais e de uma plataforma de abrasão mais antiga

Morro Branco, CE
In the northwest of the state, ruin-like face of the sandstone walls with amazingly white sandstone formations above the beaches and of an older abrasion platform

**Praia de Taíba, CE**
Pescador em área de recifes expostos parece naufragar diante da maré enchente

Taíba Beach, CE
A fisherman on a reef seems to be stranded while facing the incoming tide

**Praia de Ponta Grossa, CE**
No litoral leste do Ceará, bordo de tabuleiro arenítico com mechas intercaladas de pequenas dunas embrionárias

Ponta Grossa Beach, CE
The face of a sandstone plateau with strips of small embryonic dunes on the eastern coast of Ceará

**Praia de Ponta Grossa, CE**
Originada por vagas semilineares,
é uma praia de re-entalhamento
marcante nos arredores do litoral
norte do Estado

Ponta Grossa Beach, CE
A markedly cutback beach with it
origins in semi-linear waves in the
northern part of the state

**Praia Redondas, CE**
Pescadores sobre jangada
com diversas armadilhas
especializada para a farta
lagosta do litoral cearense

Redondas Beach, CE
Fisherman on *jangadas* (boat)
with the various types of traps
used to catch lobster on the
coast of Ceará

**Rio Almofala, CE**
Embocadura do rio a partir de
bordo de tabuleiro, composto,
na margem esquerda, por
meandros, furos e pedúnculos
de meandros em via de recorte,
com cobertura florestal
expressiva nas elevações do
pequeno delta

Almofala River, CE
The mouth of the river
alongside the side of a plateau,
composed on its left bank by
meanders, cores and lobes in
the process of being disengaged
and a heavy mantle of forest on
the elevations of its small delta

**Cabaceiras, PB**
Lajedo do Pai Mateus. Cabaceiras é a
localidade menos chuvosa do Nordeste seco,
porém, dotada de precipitações bem
distribuídas ao longo do ano (256 mm
anuais). Nas margens, restaram rochedos
mais resistentes do que os praianos, exibindo
cavas de antigas grutas de intemperismo
*(weathering holes)*

**Cabaceiras, PB**
Pai Mateus Flat Rock. Cabaceiras is the
northeast's driest region although the
precipitation it does receive is well distributed
over the year (256 mm annually). More
resistant rock can be seen on the margins
showing old weathering holes

**Fernando de Noronha, PE**
Praia do Leão. Areias
contornando blocos de
pontas de rochas vulcânicas
emergentes

Fernando de Noronha, PE
Leão Beach. Blocks of
emerging volcanic rock
circled by sand

**Fernando de Noronha, PE**
Morros Dois Irmãos, famoso
marco ilhado nos bordos do
corpo insular vulcânico,
exibindo caneluras verticais
diante de pequenas praias de
contorno irregular

Fernando de Noronha, PE
Dois Irmãos Hill, a famous
island landmark on the sides of
the main insular body, showing
vertical fissures in front of
small irregular beaches

pp. 132-133
**Fernando de Noronha, PE**
Praia de Atalaia, num dos
bordos da ilha oceânica,
com discretos setores de
sedimentação arenosa e altos
costões rochosos

Fernando de Noronha, PE
Atalaia Beach, on one side of
the Island, with discreet sectors
of sandy sedimentation and
high rocky cliffs

**Coroa do Avião, PE**
Restinga de ilha entre o mar
aberto e a foz do Rio Jaguaribe,
que serve de dupla marina para
pequenas embarcações turísticas

Coroa do Avião, PE
A sandbar on the island between
the open sea and the mouth of
the Jaguaribe River, functioning
as a double anchorage for small
tourist boats

**Periferia do Recife, PE**
Promontório arenoso
densamente povoado por
pequenas moradias, área típica
de refúgio dos setores menos
favorecidos da população

Outskirts of Recife, PE
Densely populated sandy
promontory with small houses,
a leisure area for the poorer
population

**Porto de Galinhas, PE**
Um dos muitos portinhos em meio ao mar, onde jangadas e outras embarcações parecem flutuar sobre as rasas piscinas naturais formadas por entre os recifes areníticos semiexpostos pela maré baixa

Porto de Galinhas, PE
One of the many small ports in the middle of the ocean where *jangadas* and other boats seem to float on the shallow natural pools formed within the sand reefs at low tide

**Porto de Galinhas, PE**
Cenário paradisíaco de praias e bancos de areia

Porto de Galinhas, PE
Paradisiacal scenario of beaches and sand banks

pp. 138-139
**Proximidades do Porto de Galinhas, PE**
Grande restinga do litoral pernambucano entre o mar e o largo bordo de uma laguna composta por extensas plantações de coqueiros

Proximity of Porto de Galinhas, PE
Large cemented offshore bar on the Pernambuco coast between the ocean and a lagoon with large tracts of coconut plantations

**Vale do Catimbau, sertão de PE**
Sertanejo cavalga em meio à caatinga de chão sub-rochoso parecendo flutuar

Catimbau Valley, semi-arid region in PE
Local inhabitant riding his horse seems to float over the arid and rocky ground

**Vale do Catimbau, PE**
Cenário rural de Buíque, do agreste do Estado, com pequena roça de produtos regionais e o característico vaqueiro com roupa de couro cru

Catimbau Valley, PE
Rural scene at Buíque in the interior of the state with a small plantation and a local cowhand wearing the traditional leather garb

**Venturosa, PE**
Bizarro rochedo da Pedra
Furada e blocos tombados nos
arredores dos lajedos

Venturosa, PE
Bizarre rock of Pedra Furada
circled by fallen boulders

**Venturosa, PE**
Pedra Redonda (também
chamada de Pedra do ET).
Lajedos com bloco rochoso
suspenso que se tornou
referência na região.

Venturosa, PE
Redonda Rock (also known
as ET Rock), a suspended
boulder which has become
a regional landmark.

**Penedo, AL**
Foz do Rio São Francisco.
Embarcação típica designada
borboleta, com velas
triangulares içadas

Penedo, AL
The mouth of the São Francisco
River. A typical boat called
*borboleta* (butterfly) because of
its triangular sails

**Rio São Francisco, AL**
Praia do Cabeço na foz do
Velho Chico, com coqueiros
pontilhando a beirada de
córregos que invadem a base
dos troncos das palmáceas

São Francisco River, AL
Cabeço Beach, at the mouth
of Velho Chico (Old Chico),
coconut trees cover the banks
of the streams which
undermine the palm trees

**Penedo, AL**
Farol do Cabeço, na foz do Rio
São Francisco. O curioso farol
funciona como uma "Torre de
Pisa" preservado simbolicamente

Penedo, AL
Cabeço Lighthouse at the
mouth of the São Francisco
River. The strange lighthouse is
preserved as a symbolic "Tower
of Pisa"

**Penedo, AL**
Paisagem urbana do centro de
Penedo em frente do braço
principal do Rio São Francisco

Penedo, AL
Urban landscape in the middle
of Penedo in front of one of
São Francisco River's main
tributaries

**Abrolhos, BA**
Detalhe de rochedos do
arquipélago, hoje protegido
como Parque Nacional
Marinho, diante do mar alto
com a presença de mansos
e belos atobás

Abrolhos, BA
A detail of the rocks at the
archipelago, today protected as
a National Marine Park, facing
the ocean with the beautiful
and tame white-bellied boobies

**Arquipélago de Abrolhos, BA**
Setor costeiro, qualhado de
blocos rochosos, refugia atobás
e outras aves marinhas

**Abrolhos Archipelago, BA**
The boulder-strewn coast is
home to white-bellied boobies
and other marine birds

**Canudos, BA**
Colinas e escombros urbanos às margens do
Rio Vaza Barris em período de "corte de
drenagem" com leito arenoso exposto.
Fincadas em paliçadas nas margens, ossadas
simbólicas de bovinos: modesta lembrança
de trágicos acontecimentos históricos

Canudos, BA
Hills and urban castoff on the banks of
the Vaza Barris River with its sandy bed
exposed. Symbolic livestock skeletons
stuck onto palisades on the banks of the
river: a modest memory of historically
tragic events

**Canudos, BA**
Toca Velha. Refúgio da
ararinha-azul e de cactáceas
incluindo xiquexiques,
mandacarus e facheiros no
piemonte de escarpas
irregulares na região

Canudos, BA
Toca Velha. Home to the little blue
macaw and a variety of cactus
species including the pricklypear,
*Peruvian cereus* and *Pilocereus
gounellei* on top of the irregular
escarpments in the region

**Estação Ecológica
do Raso da Catarina, BA**
Típico cenário de caatingas
arbustivas de troncos finos
entrelaçados em paisagem local
denominado propriamente pelos
indígenas de "mata branca"

Raso da Catarina
Ecological Station, BA
Typical scene of low-lying brush
with thin intertwined trunks in
the semi-arid region called by
the Indians as "white forest"

**Raso da Catarina, BA**
Entre trilhas raramente
transitadas, um agrupamento
de cactáceas emerge acima do
dossel da vegetação arbustiva
que perdeu folhas no período
da seca

Raso da Catarina, BA
Amid rarely walked trails a
group of cactus rising above the
low-lying brush which has lost
its leaves during the drought

**Chapada Diamantina, BA**
Feições topográficas dos
bordos incluindo morros-
testemunhos, rampas com
vegetação rasteira biodiversa e
campos limpos em ondulações
basais utilizáveis pelos
habitantes da região

Chapada Diamantina, BA
Topographic features of the
sides which include hills and
ramps with low-lying biodiverse
vegetation and empty fields
with basal undulations used by
local inhabitants

**Chapada Diamantina, BA**
Ruínas de Xiquexique do Igatu.
Vestígios de antigas moradias
de garimpeiros, incluindo nos
interstícios cactos e palmáceas

Chapada Diamantina, BA
Xiquexique do Igatu ruins. The
remains of miner's old dwellings
with cactus and palm trees

**Parque Nacional da Chapada Diamantina, BA**
Xiquexique do Igatu. Em ruínas, antigas moradias de garimpeiros, profissão hoje extinta no interior da área preservada

Chapada Diamantina National Park, BA
Xiquexique do Igatu. Old miner dwellings in ruins. Mining is an activity today extinct inside the preserved area of the park

**Chapada Diamantina, BA**
Aglomeração de blocos rochosos de arenito resistentes num patamar intermediário nos arredores do Morro do Pai Inácio. Ao fundo, o plaino perfeito de uma alta e antiga superfície de cimeira

Chapada Diamantina, BA
Agglomeration of resistant sandstone boulders on an intermediate level of the region around Pai Inácio Hill. A perfect plane can be seen in the background on a high and ancient mountain top

**Santa Cruz de Cabrália, BA**
Tradicional lazer de crianças e
adolescentes nas praias
arenosas

Santa Cruz de Cabrália, BA
Leisure time for youngsters on
the sandy beaches

**Praia de Coruípe, BA**
Local adequadamente
designado de Espelho da
Maravilha, sul do distrito
de Trancoso

Coruípe Beach, BA
A region called appropriately
*Espelho da Maravilha*
(Wonderful Mirror), south
of the village of Trancoso

**Barra do Cahí, litoral
sul da Bahia**
Barreiras terminais de
tabuleiro revestido por
belo bosque de coqueiros

Mouth of the Cahí River,
southern coastline of Bahia
Terminal barriers of a
tableland mantled in
beautiful coconut trees

# região centro-oeste midwestern brazil

MATO GROSSO

GOIÁS

DISTRITO FEDERAL

MATO GROSSO
DO SUL

Foi na segunda metade do século passado que a região, durante muito tempo considerada um grande vazio no coração do Brasil, começou a tomar rumo próprio. Cobrindo a maior planície das Américas com grandes fazendas e esparsas cidades, é formada pelos Estados de Goiás, Mato Grosso e Mato Grosso do Sul, além do Distrito Federal, em Brasília, uma extensa urbanização planejada por Lucio Costa.

Estabelecida em Brasília nos anos 1960, transferida

It was during the second half of the last century that this region, for many years considered to be a large vacuum in the heart of Brazil, began to trace its own future. Covering the largest plain of the Americas with large *Fazendas* and sparse cities, the region is made up of the states of Goiás, Mato Grosso and Mato Grosso do Sul, as well as the Distrito Federal, in Brasília, an extensive urban center planned by Lucio Costa.

estrategicamente do Rio de Janeiro para o Planalto Central, a capital administrativa do país trouxe impulso decisivo para a região, onde a agricultura de soja, sorgo e algodão e a pecuária extensiva de gado de corte são as principais atividades econômicas, massivamente voltadas à exportação.

Infelizmente, esse avanço provocou a ocupação de grandes áreas do cerrado, o mais esquecido dos domínios vegetacionais brasileiros. Com riquíssima biodiversidade, apresenta-se em pelo menos cinco tipos, que vão do cerradão ao campo limpo. Suas árvores retorcidas, flores, espécies herbáceas e arbustivas e animais, entre eles o tamanduá-bandeira, em extinção, foram muito pouco estudados e protegidos.

Algumas das paisagens cor de ouro estão aqui registradas, como os parques nacionais Grande Sertão Veredas, Emas e Chapada dos Veadeiros. Ainda em área protegida, está a Chapada dos Guimarães, cujos paredões areníticos avermelhados foram formados a aproximadamente 500 milhões de anos, especialmente o Pantanal Mato-Grossense; e a região de Bonito, ambas praticamente um capítulo à parte.

Regido pelo ciclo das águas, que inundam 90% da área na época das cheias, entre novembro e abril, o Pantanal é povoado por uma inumerável quantidade de aves, peixes, répteis e outros animais de terra firme que se alimentam dos sedimentos depositados nas épocas da vazante. Bonito, com as águas azuis e cristalinas graças às formações calcárias, encanta os visitantes que passam o dia todo a mergulhar junto aos peixes.

The administrative capital of the country was strategically transferred to Brasilia from Rio de Janeiro in 1960, bringing to the region a decisive impulse as can be seen today in its large soy, sorghum and cotton fields as well as extensive livestock activities, all aimed at exportation.

Unhappily though this progress brought with it the occupation of large tracts of grasslands, the most forgotten of the Brazilian vegetation dominions. With a rich biodiversity, there are at least five types of these grasslands, ranging from the cerradão to open fields. Their crooked trees, flowers, herbaceous and shrub species and animals, among them the great anteater, already in extinction, have been very little studied or protected.

A few of the golden landscapes are registered here, such as Grande Sertão Veredas, Emas and Chapada dos Veadeiros National Parks. Still within a protected area we have the Chapada dos Guimarães with its reddish sand cliffs formed approximately 500 million years ago, the Mato Grosso Pantanal; and the Bonito region, both practically with their own chapters.

Reigned over by the "water cycles", which flood 90% of the area in November to April, the Pantanal is inhabited by an innumerous quantity of birds, fish, reptiles and other land animals which feed off the sediments deposited during the ebbing floods. Bonito, with its crystalline-blue waters due to calcium formations, enchants visitors who spend the entire day snorkeling with the fish.

**Parque Nacional
das Emas, GO**
Cupinzeiro envolvido
por vegetação
arbustiva herbácea

Emas National Park, GO
Termite mound covered
by herbaceous vegetation

**Parque Nacional
das Emas, GO**
Águas azuladas do Rio
Formoso percorrendo
setores de cerrado

Emas National Park, GO
Blue-tinted water of the
Formoso River winding
through the grassland

**Parque Nacional Chapada dos Veadeiros, GO**
Quedas sucessivas do Rio Preto por entre as matas estabelecidas em litossolos

Chapada dos Veadeiros National Park, GO
The successive waterfalls of the Preto River seen between the forest growing on stony soil

**Parque Nacional Chapada dos Veadeiros, GO**
Cachoeira dos Veadeiros, múltiplos filetes d'água tombam de patamares rochosos superiores

Chapada dos Veadeiros National Park, GO
Veadeiros Waterfall, multiple slivers of water falling from rocky landings farther up

**Parque Nacional Chapada
dos Veadeiros, GO**
No Vale da Lua, leito rochoso
de uma antiga corredeira
marcada por marmitas
derruídas

Chapada dos Veadeiros
National Park, GO
In the Lua Valley, a rocky bed
of an old rapids marked by
potholes

**Parque Nacional Chapada dos
Veadeiros, GO**
Vale da Maitreia, com serrotes
rochosos expostos em meio a
planuras herbáceas

Chapada dos Veadeiros
National Park, GO
Maitreia Valley with rocky hills
in the midst of herbaceous
vegetation

**Parque Nacional Chapada dos
Veadeiros, GO**
Flor de espécie herbácea; ao
fundo, dois morrotes marcam
a paisagem regional

Chapada dos Veadeiros
National Park, GO
Herbaceous flower and in the
background two knolls mark
the regional landscape

**Chapada dos Guimarães, MT**
Cidade de Pedra. Topografia
ruiniforme diferenciada
existente nos bordos da
Chapada dos Guimarães,
talhada em rochas areníticas,
possuindo grotas florestadas
no entremeio dos torreões

Chapada dos Guimarães, MT
The city of Pedra. Ruin-like
topography existing on the
sides of the Chapada dos
Guimarães carved out of
sandstone, with forested caves
in-between the peaks

**Chapada dos Parecis, MT**
Vila Bela de Santíssima
Trindade. Bordos da Chapada
dos Parecis com águas
tombando em filetes alongados
sob modelo de quedas altas,
peculiares às serranias do
Brasil tropical

Chapada dos Parecis, MT
Vila Bela de Santíssima
Trindade. Slopes of the
Chapada dos Parecis with
water falling in elongated
fingers common to high falls
and peculiar to tropical
Brazilian ranges

**Serra do Amolar, MT**
Importante registro de flora
amazônica aquática, documentando
a grande convergência de vegetação
existente na depressão no extremo
norte do Pantanal

Amolar Mountains, MT
An important example of aquatic
Amazon flora documenting the
large convergence of vegetation
which exists in the Pantanal
depression to the extreme north

**Pantanal, MT**
Convivência aparentemente pacífica
de jacarés e talha-mares

Pantanal, MT
Peaceful co-existence between a group
of alligators and black-skimmers

**Pantanal, MT**
Panorama característico da
região pantaneira da
Nhecolândia, que exibe trecho
de "cordilheiras de matas"
entremeadas por baía de água
doce cercada de outras
notáveis lagoinhas salgadas

Pantanal, MT
Characteristic panorama of the
region called *Nhecolândia*
exhibiting a stretch of "forest
cordilleras" interspersed with a
freshwater bay and circled by
other noteworthy saltwater ponds

**Pantanal, MT**
Cárceres, com bordos irregulares
de áreas de inundação máxima.
Distinguem-se numerosos canais
entre réstias de aluviões mais
salientes recobertos por
vegetação de cordilheiras

Pantanal, MT
Cárceres, with irregular slopes
along its areas of maximum
flooding, showing numerous
channels between higher
alluvial sedimentation covered
by cordillera vegetation

**Pantanal, MT**
Dominada por litossolos da zona fronteiriça entre Brasil e Bolívia e constituída por picos e serranias, a Serra do Amolar exibe à frente uma planície fluvial de rio volteante no qual, pela primeira vez, aparecem florestas baixas

**Pantanal, MT**
Dominated by litho-soils along the borders of Brazil and Bolivia, the Amolar Mountains made up of peaks and mountain ranges exhibit to the front a fluvial plain of a bending river where, for the first time, low forests can be seen

**Pantanal, MT**
Vista aérea de alinhamento sincopado de árvores acima do nível normal da cheia periódica na região da Serra do Amolar

**Pantanal, MT**
An aerial view of a broken alignment of trees above that normally reached by the periodic flooding in the region around the Amolar Mountains

**Parque Nacional do Pantanal Mato-Grossense, MT**
Ninhal de biguás sobre árvore em área invadida pelas águas da cheia

**Pantanal Mato-Grossense National Park, MT**
A cormorant nesting area in a tree located in a flooded area

**Pantanal, MS**
Bando de araras-azuis na área da Nhecolândia. Exemplo da beleza do acervo genético do Pantanal Mato-Grossense, que em boa fração hoje é considerado Patrimônio da Humanidade pela Unesco

**Pantanal, MS**
A flock of blue Araras near *Nhecolândia*. An example of the beauty of the genetic material found in the Mato Grosso Pantanal, a large portion of which is today considered to be a World Natural Heritage by Unesco

**Poconé, MT**
A concentração de aves
diversas em torno da mais
escassa água superficial
disponível durante os meses
mais secos (julho-setembro)
faz a festa de turistas e
estudiosos da farta fauna alada

**Poconé, MT**
The concentration of different
birds around scarce drinking
holes during the dry months
(July–September), provide ideal
conditions for tourists and bird
watchers

**Pantanal, MS**
Aves mostram a silhueta
refletida ao entardecer na
Lagoa Dourada

**Pantanal, MS**
Birds show their silhouettes
reflected on the waters of the
Dourada Lake in late afternoon

**Pantanal, MT**
Na Fazenda Cayman, vaqueiro
guia o gado, perfazendo a
rotina de milhares de
pantaneiros que vivem em
torno da pecuária, principal
atividade econômica.

**Pantanal, MT**
On the Cayman Farm a
cowhand herds the cattle,
copying the routine of
thousands of local inhabitants
who live off cattle breeding, the
principal economic activity

**Pantanal, MS**
Carro de bois na Fazenda
Pouso Alto, na região de
Paiaguás, faz a rotina do
homem pantaneiro

**Pantanal, MS**
Bull-drawn cart at the Pouso
Alto Farm in the Paiaguás
region, a part of daily routine
of the local inhabitants

**Pantanal, MS**
Trabalhador rural, na Fazenda
Barra Mansa, utilizando trator,
um grande aliado na circulação
da região também na época da
cheia

**Pantanal, MS**
The rural workman, on the
Barra Mansa Farm, using a
tractor – an important ally for
getting around during the flood
season as well

**Pantanal, MT**
Cenário rural. Fazenda
Acurizal, próxima à Serra
do Amolar

Pantanal, MT
A rural scene. Acurizal Farm,
near the Amolar Mountains

**Pantanal, MS**
A paisagem rural é marcada
pela presença de grandes
propriedades integradas às
condições ambientais da região
da Nhecolândia

Pantanal, MS
The rural landscape is marked
by the presence of large
properties integrated into the
environmental conditions of the
region of *Nhecolândia*

**Pantanal, MS**
Tamanduá-bandeira em
planície no período de seca

Pantanal, MS
The great anteater runs
through a plain during the
dry season

**Pantanal, MS**
Densas florestas biodiversas de
várzea em contraste com os
campos mais abertos que
envolvem o Rio Aquidauana

Pantanal, MS
Dense biodiverse lowland
forests in contrast with the
more open fields which
surround the Aquidauana River

*pp.192-193*
**Bonito, MS**
A Baía Bonita, com águas
cristalinas emersas de calcários,
fantástica paisagem ecoturística de
exceção, exibe em seu corpo grande
cardume de dourados

Bonito, MS
Bonita Bay. With its crystalline
calcite waters, a fantastic
ecotourism landscape, showing here
a large school of Dourado

**Bonito, MS**
Gruta do Lago Azul. Encimada por
múltiplas estalactites de pequeno
porte, apresenta ao fundo a
passagem de transparentes águas
subterrâneas

Bonito, MS
Cave at Azul Lake with multiple
small stalactites and the passage of
transparent subterranean waters

MINAS GERAIS

ESPÍRITO SANTO

SÃO PAULO

RIO DE JANEIRO

**C**omposto pelos Estados de São Paulo, Rio de Janeiro, Minas Gerais e Espírito Santo, este grande adensamento concentra quase metade da população brasileira na região mais urbana e industrializada de todo o país. A história das paisagens é antiga e remonta ao início do século XVI, com os bandeirantes em guerra não declarada aos índios e depois com a busca pelo ouro, cujo ciclo deu nome ao Estado de Minas Gerais e fez nascer cidades

**M**ade up of the states of São Paulo, Rio de Janeiro, Minas Gerais and Espírito Santo, this heavily populated area concentrates almost half of the Brazilian population in the most urban and industrialized region of the country. The history of the landscapes go back to the beginning of the XVI century, with the *bandeirantes* and their non-declared war with the Indians and their later search for gold, the cycle of which furnished Minas Gerais (general

como Ouro Preto e Tiradentes. No século XIX, sobreveio o ciclo do café, principal âncora de crescimento da cidade que se tornou o principal Polo comercial da América Latina, São Paulo.

Em meio a tanto dinamismo, a região impressiona pela beleza das serras e planaltos, verdadeiros mares de morros em forma de melão. A Floresta Atlântica, o primeiro domínio vegetacional avistado pelo homem europeu, ainda marca a paisagem, apesar de mais de 90% desmatada. Estendendo-se originalmente por todo o litoral, do Rio Grande do Norte ao Rio Grande do Sul, a "grande muralha verde" foi berço de economia exploratória, seguida de ocupação humana desenfreada. Formada pelo menos por cinco ecossistemas diferentes, hoje a mata resiste em verdadeiras ilhas de vegetação, mais ou menos preservadas, congregando muitas espécies endêmicas.

Nesta seleção, estão presentes vários dos parques nacionais da região, entre eles o mais antigo do Brasil, Itatiaia, que além da floresta protege as belíssimas paisagens ocre do cerrado de Minas Gerais, repletas de rios, répteis, aves e árvores retorcidas. O inigualável litoral, recortado por diversas ilhas e penínsulas, principalmente no segmento delimitado pelo norte de São Paulo e Rio de Janeiro, também se apresenta em algumas imagens, como Ilhabela, Restinga de Jurubatiba e a histórica Paraty, além do complexo portuário de Santos, berço da carreira do autor.

mines) its name and gave birth to cities like Ouro Preto and Tirandentes. In the XIX century the coffee cycle began, turning into the main anchor for the growth of the city which was to become the principal commercial pole of Latin America – São Paulo.

Amid so much dynamism, the region also impresses through the beauty of its mountain ranges and plateaus, veritable seas of melon shaped hills. The Atlantic Forest, the first vegetation to be seen by Europeans, still marks the landscape, despite being 90% devastated. Originally extending along the whole coast, from Rio Grande do Norte to Rio Grande do Sul, the "great green wall" was the seminal point for an exploratory economy, followed by unbridled human occupation. Made up of at least five different ecosystems, the forest today endures in more or less preserved islands of vegetation, congregating endemic species.

Various of the national parks are present in this selection, among them the oldest in Brazil – Itatiaia, which besides the forests protect the beautiful ochre landscapes of the Minas Gerais *cerrado*, full of rivers, reptiles, birds and crooked trees. The incomparable seaboard of the states, cut by diverse islands and peninsulas, mainly in the segment limited by the northern coast of São Paulo and Rio de Janeiro, can also be seen in some photos, as that of Ilhabela, Restinga de Jurubatiba and historic Paraty, besides the port complex of Santos, the author's hometown.

**Serra de Vitória, ES**
Reserva Ecológica de Pedra Azul,
exibindo caneluras embrionárias
e lascas de descompressão
rochosa. Feição híbrida entre
morros rochosos do tipo
pão-de-açúcar e inselbergs
do tipo sertanejo

Vitória Mountains, ES
Pedra Azul Ecological Reserve,
showing embryonic fissures and
fragments of unloaded rock.
A hybrid feature characteristic
of rocky mounds such as the
Sugarloaf type and inselbergs
found in the semi-arid

**Parque Nacional
da Serra do Caparaó, ES**
Visão das serranias regionais
tomada dos altos do Pico da
Bandeira: área de clima
tropical de altitude sujeita a
demoradas neblinas matinais

Serra do Caparaó National
Park, ES
A view of the regional mountains
taken from the Bandeira Peak,
an area with a high-altitude
tropical clime subject to long-
lasting morning fog

**Parque Nacional das Restingas de Jurubatiba, RJ**
No litoral norte do Rio de Janeiro, a longa Praia de Jurubatiba, tendo na retroterra dois a três feixes sequenciais de restingas com lagunas intercaladas, recobertas por vegetação arbustiva psamófila pontilhada

**Restingas de Jurubatiba National Park, RJ**
On the northern coastline of Rio de Janeiro, the long Jurubatiba Beach, with two or three sequences of cemented offshore sandbars in its backland with interpolated lagoons covered in *psammophilous* vegetation

**Parque Nacional da Tijuca, RJ**
Corcovado — o mais famoso pico do Brasil,
no entorno da grande cidade do Rio de
Janeiro — visto do Parque Nacional da Tijuca,
o maior parque urbano do mundo

Tijuca National Park, RJ
Corcovado, the best known peak in Brazil, in
the vicinity of the large city of Rio de Janeiro,
as seen from the Tijuca National Park, the
largest urban park in the world

**Cristo Redentor, RJ**
Altos do Pico do Corcovado
emergem do grande lençol
de nuvens orográficas

Christ the Redeemer, RJ
The heights of Corcovado Peak
emerging above a large mantle
of mountain clouds

**Parque Nacional Serra da Bocaina, RJ**
Bordo florestado da Serra da Bocaina voltado para as terminações da Serra da Mantiqueira. Depressão do médio Paraíba coberta de nuvens rasas

Serra da Bocaina National Park, RJ
A forest-mantled face of the Bocaina Mountains turned towards the termination of the Mantiqueira Mountains. The middle Paraíba Valley depression is covered in shallow clouds

**Parque Nacional Serra da Bocaina, RJ**
Cachoeira dos Veados nos bordos da Serra da Bocaina vista por meio dos desvãos da Mata Atlântica preservada

Serra da Bocaina National Park, RJ
Veados Waterfall on the sides of the Bocaina Mountains as seen through the preserved Atlantic Forest

**Parque Nacional do Itatiaia, RJ**
Picos do Maciço de Itatiaia no
entorno do Vale da Paz, com
rochedos de diferentes tipos
envolvendo o calmo laguinho
deprimido entre maciços
rochosos

Itatiaia National Park, RJ
The summit of the Itatiaia
Massif near the Paz Valley with
different types of rock circling
the calm pond

**Ilha Grande, RJ**
Pesca artesanal com tarrafa; ao fundo, setor de costões recuados e circundados por blocos rochosos remanescentes de uma plataforma de abrasão elaborada quando o nível do mar estava mais alto

**Grande Island, RJ**
Fishing with a throw-net with cliffs in the background

**Angra dos Reis, RJ**
Opondo-se à grandiosidade da Ilha Grande ocorrem ilhotas singelas, as Ilhas das Botinas, por entre as quais pescadores e turistas se misturam. Belo cenário de águas límpidas encimado por lindas feições atmosféricas

**Angra dos Reis, RJ**
Small quiet islands such as the Botinas Islands, contrasting with the grandiosity of Grande Island, where tourists and fishermen mingle together. A beautiful scene with the clear water and good weather

**Ilha Grande, RJ**
Cenário praiano com rochedos residuais sotopostos às areias, tendo ao lado um tortuoso coqueiro

**Grande Island, RJ**
A beach with residual rock beneath the sand and a crooked coconut tree

**Paraty, RJ**
Paisagem histórica e turística
de Paraty, espremida entre o
mar da Baía da Ilha Grande e
as montanhas revestidas pela
densa Mata Atlântica
preservada na região

Paraty, RJ
Historic and tourist attracting
landscape of Paraty, squeezed
in between the Grande Island
Bay and the preserved Atlantic
Forest

**Ilhabela, SP**
A Praia do Bonete, cercada por
rochedos costeiros, abriga uma
canoa rasa precocemente
comandada

Ilhabela, SP
Bonete Beach circled by coastal
cliffs and a canoe captained by
a young sailor

**Ilhabela, SP**
Paisagem do continente
visualizada a partir de rebordo
da Ilha de São Sebastião ou
Ilhabela

Ilhabela, SP
Continental landscape as seen
from the São Sebastião Island
known also as Ilhabela

**São Paulo, SP**
Marginal do Rio Pinheiros.
Blocos pioneiros de
verticalização nas margens
em noite paulistana dotada
de grande beleza urbana

São Paulo, SP
The Pinheiros River
Marginal Avenue with its
tall buildings and urban
night beauty

São Paulo, SP
Bairro de moradias baixas
na zona sul da cidade em
processo visível de
consolidação, com ruas
estreitas e paralelas

São Paulo, SP
A neighborhood in the
south region of the city in
a process of consolidation
with its narrow and
parallel streets

214

**Santos, SP**
Guindastes de Santos ante o estuário portuário mais importante do Brasil. Ao fundo, entre névoas, as pequenas serras da Ilha de Santo Amaro

**Santos, SP**
Cranes in the most important port in Brazil. In the background, amid the fog, the small mountains of Santo Amaro Island

**Cubatão, SP**
Revoada de reluzentes guarás às margens da planície de mangues de Cubatão, não muito distante dos efeitos ambientais indesejáveis do Polo petroquímico regional

**Cubatão, SP**
A flock of shining scarlet ibis on the margins of mangrove plain of Cubatão, not far from the undesirable environmental effects of the region's petroleum-chemical pole

**Baixada Santista, SP**
Visão panorâmica tomada dos altos da
Serra do Mar, registrando morros e
espigões da Ilha de São Vicente e Ilha de
Santo Amaro, por onde ocorre o importante
estuário santista

Santos Lowland, SP
Panorama taken from the heights of the
Serra do Mar showing the hills and mountain
ridges of the São Vicente and Santo Amaro
Islands with the important Santos estuary in
the middle

216

**Ilha do Cardoso, SP**
No extremo sul do litoral de São Paulo,
margens da Baía de Trepandé, com
estreitos manguezais beiradeiros e
bordos florestados da ilha

Cardoso Island, SP
On the southern point of the São Paulo
coastline, the margins of the Trepandé
Bay, with narrow mangroves and
forested border of the island

**Parque Nacional das Cavernas do Peruaçu, MG**
Gruta do Janelão, minirrefúgio de cactáceas na região kárstica do norte de Minas Gerais

Cavernas do Peruaçu National Park, MG
Janelão cave, a mini-refuge for cactus, in the *kárstica* region of northern Minas Gerais

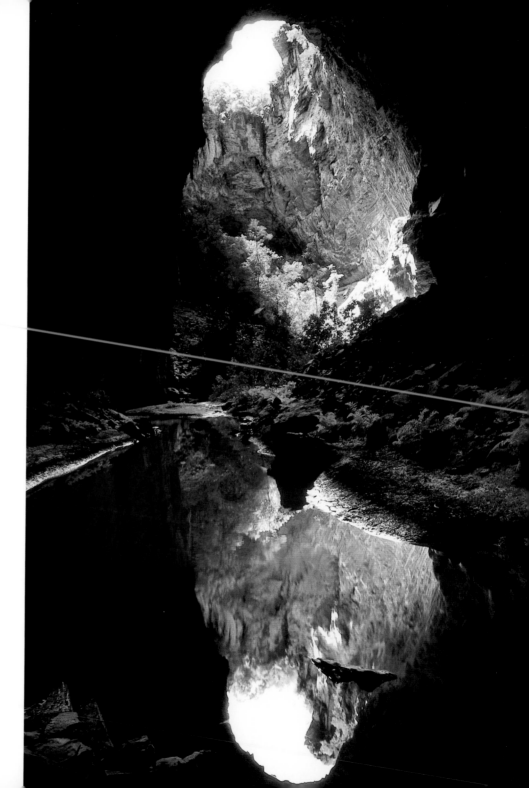

**Parque Nacional das
Cavernas do Peruaçu, MG**
Passagem de águas
subterrâneas por entre
blocos na Gruta do Janelão

Cavernas do Peruaçu
National Park, MG
Subteranean water passage
in the Janelão Cave

**Parque Nacional das
Cavernas do Peruaçu, MG**
Paisagem de exceção
predominantemente rupestre
desfeita em blocos rochosos
irregulares, com paineira do
tipo barriguda no entremeio
de variadas vegetações

Cavernas do Peruaçu
National Park, MG
A predominantly rocky
landscape with irregular
rocky boulders. A floss-silk
tree with a large "belly" in
the middle of the varied
vegetation

**Parque Nacional do
Peruaçu, MG**
Paineira barriguda
agigantada no entremeio
de matinhas

Peruaçu National Park, MG
"Big belly" floss-silk tree in
the middle of the park's
lower brush

**Parque Nacional da Serra do Cipó, MG**
Afloramentos rochosos desnudos nos
altos da Serra do Cipó, constituindo
um cenário bizarro devido ao forte
mergulho das estruturas geológicas
quartzíticas

**Cipó Mountains National Park, MG**
Rocky outcrops on the ridges of the
Cipó Mountains creating a bizarre
landscape due to the steep angle of
the geological quartzite structures.

**Parque Nacional da
Serra do Cipó, MG**
Cânion das Bandeirinhas,
escavado por entre rochas
dando passagem a filetes
d'água de riacho em setor
de rochas de mergulho
vertical na Serra do Cipó,
com a presença de
vegetação rupestre nas
vertentes escarpadas

**Cipó Mountains
National Park, MG**
Bandeirinhas Canyon, a
small stream dug out
between the high-rising
rocks of the Cipó Mountains,
with rock vegetation on its
steep cliffs

**Serra do Cipó, MG**
Cachoeira da Capivara,
que se precipita dos
bordos rochosos da Serra
do Cipó exibindo quedas-
d'água em filetes por entre
rochas mergulhantes

Cipó Mountains, MG
Capivara Waterfall, which
flows off the rocky face of
the Cipó Mountains with its
slivers of water descending
between the rocks

**Ouro Preto, MG**
O sitio da histórica cidade de
Ouro Preto entre serranias
em patamares escalonados
no entremeio da Serra do
Itacolomy

Ouro Preto, MG
Site of the historic city of
Ouro Preto amid the hills of
the stepped landings of the
Itacolomy Mountains

**Parque Nacional Grande Sertão Veredas, MG**
Detalhes dos buritis de florestas-galeria

Grande Sertão Veredas National Park, MG
Details of the *buritis* of the region's gallery forest

Parque Nacional Grande
Sertão Veredas, MG
Bosque alongado de buritis
no cerrado

Grande Sertão Veredas
National Park, MG
An elongated *buriti* forest
in the *cerrado*

*pp. 230-231*
Parque Estadual de Ibitipoca, MG
Pico do Peão ao amanhecer, com
sucessivos esporões florestados
vistos acima do nível de nuvens
orográficas

Ibitipoca State Park, MG
Peão Peak at dawn, with a
succession of forested spurs
seen above the mountain clouds

**Parque Nacional da Serra da Canastra, MG**
A Cachoeira Casca D'Anta, nos bordos da Serra da Canastra, derrama águas no entremeio de rochedos irregulares. A partir do cânion suspenso dos bordos da serra, descem águas cristalinas de alta qualidade devido à preservação geral das cabeceiras da drenagem regional

Canastra Mountains National Park, MG
Casca D'Anta Waterfall on the slopes of the Canastra Mountains spills its water in the midst of irregular rocks. Beginning on the slopes of the suspended canyon the crystalline waters maintain their quality due to the preservation of the regional headwaters

**Parque Nacional da Serra da Canastra, MG**
Setor florestado das margens da Serra da Canastra na região inicial do Rio São Francisco, com águas cristalinas

Canastra Mountains National Park, MG
Forest-mantled sector at the foothills of the Canastra Mountains, where the crystalline waters of the São Francisco River begin

# região sul southern brazil

PARANÁ

SANTA CATARINA

RIO GRANDE
DO SUL

A região mais meridional do país, marcada por clima ameno, subtropical, apresenta os melhores índices em educação, saúde e qualidade de vida. Formada pelos Estados de Paraná, Santa Catarina e Rio Grande do Sul, recebeu grande afluxo de imigrantes europeus, principalmente alemães e italianos, a partir do final do século XIX, que hoje marcam uma forte presença na população, seja de forma dispersa, seja nas cidades-colônias

The southernmost region of the country, marked by a pleasant subtropical climate, boasts the best educational, health and living standards of the country. Made up by the states of Paraná, Santa Catarina and Rio Grande do Sul, it in the past was host to a large flux of European immigrants, mainly Germans and Italians, at the end of the XIX century, and who today are heavily represented in its population, either seen in its cities or in the colony-

Atraídos pela disponibilidade de terras para a agricultura familiar, esses precursores iniciaram uma tradição de vida rural que hoje luta contra a expropriação promovida pelos grandes latifúndios e pela mecanização da produção em grande escala, além do próprio êxodo que leva as pessoas para os centros urbanos em busca de trabalho neste que é o segundo maior complexo industrial do país.

A paisagem é muito variada e característica: remanescentes da floresta de araucária que cobria as serras próximas ao litoral, formada pelo típico pinheiro-do-paraná, cidades serranas, vinhas (a região é a maior produtora de vinho do país) e vastos espaços do pampa gaúcho, já na fronteira com a Argentina e o Uruguai.

Tal diversidade paisagística apresenta alguns destaques únicos: as Cataratas do Iguaçu – "água grande" no vocábulo Tupi –, um conjunto de quase 300 quedas-d'água no coração da bacia do Rio da Prata, e os cânions dos parques nacionais de Aparados da Serra e Serra Geral, que chegam a estender-se por 7 quilômetros.

No litoral, está a Ilha de Florianópolis, em Santa Catarina, e o complexo de ecossistemas litorâneos do Rio Grande do Sul, formado por lagoas e lagunas de água doce e salobra, influenciadas pela maré, banhados, vegetação de restinga e campos de dunas, resguardadas pelo Parque Nacional da Lagoa do Peixe e pela Estação Ecológica do Taim.

Attracted by the availability of farmable homesteads, these pioneers initiated a rural tradition which today struggles against the expropriation promoted by the large landowners and the mechanization of mass production processes, besides an exodus of those in search of jobs in urban centers in what is the second largest industrial pole in the country.

The landscape is varied and characteristic: remnants of the pine forests which covered the mountain ranges running close to the coast, formed by the typical Paraná pine tree, mountain cities, grapevines (the region is the largest producer of wine in the country) and vast areas of the *Gaúcho Pampas*, on the border with Argentina and Uruguay.

This diversity in landscapes has its own unique highlights: the Iguaçu Falls – or "big water" in the Tupi language – a set of almost 300 waterfalls in the heart of the Prata River basin, and the canyons of the Aparados da Serra and Serra Geral National Parks, which run inland for 7 kilometers.

The Florianópolis Island is located on the coast, in Santa Catarina, and the coastal ecosystem complex of Rio Grande do Sul is formed by freshwater and brackish lakes and lagoons, depending on the tide, grassy marshes, cemented offshore bar vegetation and dune fields, protected by the Lagoa de Peixe National Park and by the Taim Ecological Station.

**Canal de Guaraqueçaba, PR**
Pescadores de camarão nas
águas tranqüilas do canal
beirado por grande manguezal
seguido de densa Mata
Atlântica primária

Guaraqueçaba Channel, PR
Shrimp fishermen on the
tranquil waters of the channel
bordered by a large mangrove
followed by the dense primary
Atlantic Forest

**Parque Nacional
do Superagüi, PR**
Canal do Superagüi no
terceiro parque marinho
criado no Brasil

Superagüi National
Park, PR
Superagüi channel in
the third marine park
created in Brazil

**Vila Velha, PR**
A topografia ruiniforme mais
conhecida do país, na área de
Vila Velha, no segundo
planalto paranaense

Vila Velha, PR
The most widely known ruin-
like topography in Brazil in the
region around Vila Velha, on the
second tableland of Paraná

**Foz do Iguaçu, PR**
A impressionante massa
formada pelas quedas-d'água

Iguaçu Falls, PR
The impressive water mass
formed by waterfalls

**Foz do Iguaçu, PR**
Inúmeros despejos d'água

Iguaçu Falls, PR
Multiple water tables and falls

**Foz do Iguaçu, PR**
Visão panorâmica da Garganta do Diabo, o grande cânion das Cataratas de Iguaçu, uma das paisagens mais sedutoras do país e mais visitadas pelo turismo nacional e internacional

**Iguaçu Falls, PR**
A panoramic view of the Devil's Throat, the largest canyon of the Iguaçu Falls, one of the more seductive landscapes of the country and that most visited by national and international tourists

**Ilha de Santa Catarina, SC**
Lagoa do Peri, em
Florianópolis, povoada por
gramíneas subaquáticas

Santa Catarina Island, SC
Peri Lagoon in Florianópolis
strewn with sub-aquatic grass

**Ilha de Santa Catarina, SC**
Panorama da Praia do Leste,
com litossolos e afloramentos
de pequenos blocos rochosos

Santa Catarina Island, SC
A panorama of the Leste Beach
with its litho-soil and the
outcropping of small boulders

**Parque Nacional de
São Joaquim, SC**
O volteado complexo da
estrada de ligação entre o
litoral e o planalto nas
encostas íngremes dos
Aparados da Serra dominados
por florestas orográficas

São Joaquim National Park, SC
The curving highway which
connects the coast to the
plateau on the steep slopes of
the Aparados da Serra
dominated by mountain forests

**Parque Nacional de
São Joaquim, SC**
Em meio ao sítio rochoso da
Pedra Furada, em um dos
múltiplos esporões íngremes
dos Aparados da Serra,
florestas biodiversas
orográficas de baixa altura
nas encostas e na sequência
dos Aparados da Serra

São Joaquim National Park, SC
In the midst of the rocky site of
Pedra Furada in one of the
multiple steep spurs of the
Aparados da Serra, a low-
mountain biodiverse forest on the
slopes of the Aparados da Serra

**Parque Nacional de São Joaquim, SC**
Detalhes dos Aparados da Serra, com setores
rochosos escarpados da cimeira incluindo
algumas topografias ruiniformes e rampas
florestadas sulcadas por sucessivas
cabeceiras de drenagem

São Joaquim National Park, SC
Details of the Aparados da Serra with sectors
of rocky cliffs and a few ruin-like topographies
and forested slopes scored with successive
drainage erosion

**Parque Nacional de São Joaquim, SC**
No planalto do parque, os altos dos Aparados da Serra ao amanhecer com duas prateleiras de nuvens e copas emergentes de araucárias

São Joaquim National Park, SC
On the park's plateau, the heights of the Aparados da Serra at dawn with two layers of clouds and the emerging tops of the pine trees

**Aparados da Serra, SC**
Paisagem típica do planalto de araucárias
com pinheirais emergentes em mata
subtropical biodiversa. No primeiro plano,
uma clareira antrópica de vegetação
herbácea desigual servindo de pequeno
campo de pastagem

Aparados da Serra, SC
Typical landscape of the Paraná pine tree
plateaus with the trees emerging above the
subtropical biodiverse forest. In the
foreground an anthropic clearing of
herbaceous vegetation used as pasture

**Aparados da Serra, SC**
Exemplo de moradia rural típica
de colonos descendentes de
alemães em pequenas
propriedades agrícolas no
segundo planalto de Santa
Catarina

Aparados da Serra, SC
An example of the way the
colonizers of German descent
live on small agricultural
properties on the second
plateau of Santa Catarina

**Parque Nacional dos
Aparados da Serra, RS**
Detalhe de grande derrame de
lava sujeito a diáclases
verticais na borda dos
Aparados da Serra, com
avançada extrema de matas
subtropicais de araucárias nos
setores onde os basaltos
deram origem ao suporte
ecológico de solos

Aparados da Serra
National Park, RS
Detail of a large spill of lava
subject to vertical splitting on
the slopes of the Aparados da
Serra, with subtropical pine
forests advancing into the
sectors where basaltic
material gave origin to the
ecological support of the soil

**Parque Nacional da Serra Geral, RS**
Cânion Fortaleza: batentes escalonados dos afloramentos de rochas vulcânicas do passado dotados de fraturas verticais com alternâncias de florestas orográficas e ralas formações rupestres nos paredões íngremes, o conjunto passando a planos superiores de campos limpos

Serra Geral National Park, RS
Fortaleza Canyon: the outcropping of volcanic rocks with vertical fractures alternating with mountain forests and disperse rock formations on the steep walls, turning later into higher, open fields

**Lagoa do Peixe, RS**
Na alongada reta das praias
frontais da grande restinga
gaúcha, transporte de antiga
e típica embarcação de pesca
da região

Peixe Lagoon, RS
On the elongated stretch of front
beaches of the long cemented
offshore bar transportation is
provided by an old and typical
fishing vessel from the region

**Lagoa do Peixe, RS**
Pousada de aves migratórias
às margens da Lagoa do Peixe,
região pouco ocupada entre
lagoas e restingas, ponto
estratégico de revoada de
maçaricos-de-peito-vermelho

Peixe Lagoon, RS
Resting place for migratory
birds on the margins of the
Peixe Lagoon, a sparsely
inhabited region between the
lagoons and cemented offshore
bars. A strategic point for the
flocks of ruddy turnstones

**Lagoa do Peixe, RS**
Por entre praias e dunas em
região de baixa ocupação
antrópica, revoada de aves
migratórias (talha-mares)

Peixe Lagoon, RS
Among the beaches and dunes
of a sparsely inhabited region
we see a flock of migratory
birds (black-skimmer)

**Parque Nacional Lagoa do Peixe, RS**
Revoada de pássaros migratórios a
partir da área de pousada nos
arredores da Lagoa do Peixe

Lagoa do Peixe National Park, RS
A flock of migratory birds setting
off from their resting place on the
banks of the Peixe Lagoon

**Banhados do Taim, RS**
Setor interno com espécies subtropicais
arbóreas remanescentes na faixa de
transição entre a planície e as colinas do
pampa úmido oriental

Banhados do Taim, RS
The internal sector with subtropical
species of trees remnants of the
transition between plains and hills of
the humid eastern *pampa*

**Banhados do Taim, RS**
Espécie arbórea emergindo de
plano arenoso documentando
processo de adulteração no
antigo ecossistema da planície
costeira

Banhados do Taim, RS
A tree species emerging from a
sandy plain documenting an
adulteration of the old coastal
plain ecosystem

## **biografia** biography

Araquém Alcântara, 1951, é apontado pelos críticos como um dos mais importantes fotógrafos da natureza da atualidade. Desde 1985, dedica-se integralmente à documentação e à proteção da natureza brasileira. Em sua vasta produção, constam 41 livros, inúmeros prêmios internacionais e nacionais, 53 exposições individuais, dezoito coletivas, diversos ensaios e reportagens para jornais e revistas nacionais e estrangeiros.

É o primeiro fotógrafo brasileiro que produziu uma edição especial para a National Geographic Society, *Bichos do Brasil*.

Priorizando a fotografia como expressão plástica, Araquém Alcântara vem há três décadas compondo um precioso acervo em defesa do patrimônio natural e dos valores culturais do Brasil.

Araquém Alcântara, 1951, is considered by critics to be one of the most important nature photographers in activity today. Since 1985 he has dedicated himself entirely to documenting and protecting the Brazilian environment. His vast production includes 41 books, innumerous international and national awards, 53 individual exhibitions, eighteen collective exhibitions, innumerous studies and articles for national and international newspapers and magazines.

He is the first Brazilian photographer to produce a special edition for the National Geographic Magazine entitled *Brazilian Animals*.

With photography as his main means of expression, Araquém Alcântara has over the last three decades produced a priceless collection of photographs in defense of Brazilian natural heritages and cultural values.

# legendas complementares complementary captions

*capa* cover
**Porto de Galinhas, PE**
Um dos muitos portinhos em meio ao mar, onde jangadas e outras embarcações parecem flutuar sobre as rasas piscinas naturais formadas por entre os recifes areníticos semiexpostos pela maré baixa

Porto de Galinhas, PE
One of the many small ports in the middle of the ocean where *jangadas* and other boats seem to float on the shallow natural pools found within the sand reefs at low tide

*1ª guarda* inside front cover
**Parque Nacional da Serra do Divisor, AC**
De ecossistema florestal diferenciado, as matas de terra firme nos arredores da Serra do Divisor aparecem semimascaradas por nuvens rasas do tipo "resfriado"

Serra do Divisor National Park, AC
With a differentiated highland ecosystem, the forests around the Divisor Mountains masked by low clouds

*pp. 2-3*
**Chapada Diamantina, BA**
Serra do Sincorá. Talhados de vertentes, incluindo topografias ruiniformes embrionárias no topo do planalto em rampas inclinadas na base dos paredões rochosos

Chapada Diamantina, BA
Sincorá Mountains. Carved by the watershed with embryonic ruin-like topography at the top of the tableland with inclined ramps at the base of rocky cliffs

*pp. 4-5*
**Parque Nacional de Aparados da Serra, RS**
Visão panorâmica frontal do Cânion do Itaimbezinho, com paredes rochosas e escoamentos laterais de lindos filetes d'água e um canal fluvial encaixado nas vertentes interiores irregularmente florestadas

Aparados da Serra National Park, RS
A frontal panoramic view of the Itaimbezinho Canyon, with its rocky cliffs and beautiful rivulets of laterally draining water and a fluvial channel set in the irregularly forested interior watersheds

*pp. 6-7*
**Delta do Parnaíba, PI**
Pequenos lençóis arenosos do tipo que ocorre no noroeste do Maranhão e em ilhas arenosas internalizadas no delta do Parnaíba

Parnaíba Delta, PI
Small sand stratification typically seen in northwestern Maranhão and internal sand islands of the Parnaíba delta

*pp. 8-9*
**Rio Cururupu, MA**
Na região das Reentrâncias Maranhenses, embarcações de velas multicoloridas marcam a paisagem parcamente habitada no noroeste do Estado

Cururupu River, MA
In the region of the Maranhão Embayments, the multicolored sailboats mark a sparsely inhabited area to the northwest

*p. 10*
**Foz do Iguaçu, PR**
Na variedade de despejos d'água, ocorrem filetes sincopados e outras formas de junção das águas do cânion

Iguaçu Falls, PR
A maze of waterfalls come together within the canyon

*p. 260*
**Reserva Biológica de Caratinga, MG**
Araquém Alcântara e seu instrumento de trabalho (foto de João Marcos Rosa)

Caratinga Biological Reserve, MG
Araquém Alcântara and the tools of his trade (photo by João Marcos Rosa)

*2ª guarda* inside back cover
**Águas Belas, CE**
Embocadura do Rio Mal Cozinhado totalmente meandrado na faixa traseira de campo costeiro de dunas

Águas Belas Beach, CE
The mouth of the totally meandered Mal Cozinhado River behind a coastal dune field

*4ª capa* back cover
Araquém Alcântara por Juan Esteves

Araquém Alcântara by Juan Esteves

# agradecimentos acknowledgments

Araquém Alcântara agradece às seguintes empresas e entidades:

Araquém Alcântara would like to thank the following companies and entities:

O Ministério do Meio Ambiente, a Secretaria de Turismo do Governo do Estado de Pernambuco e o Instituto Brasileiro do Meio Ambiente e Recursos Naturais Renováveis (Ibama), superintendentes, diretores e funcionários de parques, especialmente estes últimos, que não mediram esforços para que a documentação de suas unidades fosse realizada com êxito.

Ministério do Meio Ambiente, Secretaria de Turismo do Governo do Estado de Pernambuco and Ibama management and all of its superintendents and directors. A special thanks to the park employees who did their utmost to document their units.

Banco BMC, Banco Volkswagen, Cargill, Cenibra, Confederação Nacional da Indústria, Conservation International, CSD Geoklock, Fuji Film, Fundação SOS Mata Atlântica, Global Link, Governo do Estado de São Paulo, Greenpeace, Instituto Sócioambiental (ISA), Integrada Assessoria Aduaneira, Kodak, Lloyds Bank, Prefeitura Municipal de Santos (administração Telma de Souza), Rolamentos Schaeffler, Secretaria de Estado da Cultura de São Paulo, SOS Amazônia, United Nations Educational, Scientific and Cultural Organization (Unesco), World Wildlife Fund (WWF).

O fotógrafo reconhece especialmente uma centena de guias e mateiros que o acompanharam pelos últimos trinta anos em seguidas expedições pela selva e em longas caminhadas pelos cerrados e gerais, orientando, protegendo, carregando equipamentos, montando barracas e, muitas vezes, arriscando a própria vida. Como é impossível declinar todos os nomes dessas pessoas notáveis, Araquém Alcântara, orgulhosamente, lhes dedica o fruto deste trabalho.

The photographer would also like to give his special thanks to the more than one hundred guides and woodsmen who accompanied him over the last thirty years on innumerable expeditions through the jungle and on long walks over fields and mountains, providing orientation, protection, carrying equipment, setting up camp and many times risking their own lives. As it is impossible to list all the names of these notable people, Araquém Alcântara proudly dedicates the fruits of this labor to them.

Abilio Leite de Barros, Adalberto Eberhard, Adelto Gonçalves, Adílio Augusto V. Miranda, Adriano Jorge, Alair Garcia, Alberto Pires da Silva, Alberto Rodrigues da Cunha, Albino Batista Gomes, Alcino da Chapada Diamantina, Alexandre Dórea Ribeiro, Alfredo, Alfredo Palau Peña, Aline Azevedo, Alzira e Carmito de Xique Xique do Igatu, Amauri S. Motta, Ana Lúcia de Souza, Ana Maria Guariglia, Anael de Souza, André Fontany, André Murano, André Pessoa, Ângelo de Lima Francisco, Aniceto Martins Cordeiro, Antônio Augusto, Antonio Carlos Lago, Antônio das Graças, Antônio Gonçalves Filho, Antônio Henrique Leão (Branco), Antonio Mendes, Antônio Pacaya Ihuaraqui, Antonio Paulo Pavone, Antônio V.R. Mendonça, Ari Soares, Artur Lino dos Santos Pereira (in memorian), Aurora Lanzillotta, Aziz Ab'Sáber, Batico, Beatriz Rondon, Bernardo Frau, Braço (guia), Brisa (guia), Bruce Nelson, Burle Marx (in memorian), Calil Neto,

Carlos Alexandre H. Miranda, Carlos Armiato Antônio, Carlos Martins, Carlos Moraes, Carlos Muller, Carlos Rangel, Catarina Lucrécia, César Queiroz, Charles Frazão, Cid Marcus, Cláudia Pompeu di Lorenzo, Claudia Thielermann, Cláudio Costal, Criatório Chaparral: Andréia Ferreira dos Santos, Betânia Vieira, Juliana Freitas Lima e Maurício Guilherme Ferreira dos Santos, Cristina Harumi, Daniela Bergamini, Darcy Ribeiro (in memorian) e família, David Israel, Deputada Federal Telma de Souza, Diogo Nomura, Dirce Carrion, Divino Umberto dos Santos, Domingos Albino Ferreira, Eder Chiodetto, Edmar Nogueira da Costa, Edson Coelho, Eduardo Azevedo, Eduardo Bagnoli, Eduardo Melão, Edvaldo de Manaus, Elias Martins, Ellen Rita Honorato, Elmo Monteiro da Silva Jr., Elton, Emerson Teixeira, Emília Lucena, Ernesto Zwarg Jr., Eurides Morais dos Santos, Evandro B. Tognelli, Evelin Palhares, Ezio Borba, Fábio de Barros (Jardim Botânico de São Paulo), Fausto Figueira de Mello Jr., Fernando da Pousada Mangabal, Francisco José Palhares, Fred Cruz, Frederico Brito, Garimpeiros do Pico da Neblina: Zé Traíra, Goiano, Maranhão, Pará, Brizola, Gaspar Saturnino Rocha, Genário Peixoto, Gil Nuno Vaz, Gilberto Mendes, Gilson Melo Oliveira, Graça Vanderley (Jardim Botânico de São Paulo), Guadalupe Vivekananda, Guerreiro Junior, Guias da Chapada Diamantina: Joás, Van, Piaba, Micinho, Luanga, Clayton, Terra e Zóio, Guias da Serra do Aracá: Pé no Chão e Dipirona, Guias do Pico da Neblina: Nilson, Tomé e Batata, Guilherme Rondon, Hamilton Nobre Casara, Haroldo Castro, Haroldo Tavares, Herivelto B. da Silva, Hotel Fazenda Pai Matheus: Crisóstomo Lucena de Holanda, Lidiane, Paulo Eduardo Uchoa Lucena, Ribamar e Sebastião, Hsu Ming Jen, Hugo Souza Lopes, Ilo Ramalho, Ingrid Meyer Clark, Isaltino de Xiborema, Ivo A. dos Santos, Jamil do Porto Jofre Hotel, Jayth Chaves Filho, João Bento, João do Carmo de Oliveira, Jesus, João Farkas, João Marcos Rosa, João Meirelles Filho, João Murano, João Odolfo, Joás Brandão, Job Rezende Neto (Jobão), Johny Sena, Jorge Belford, José Gonçalves Trindade, José Guilherme Bastos Padilha, José Marcio Ayres (in memorian), José Maria dos Santos Gadelha, José Milton de Magalhães Serai, José Moisés Rodrigues Fonseca, José Pedro de Oliveira Costa, José Ribamar Caldas Lima Filho, José Rodrigues,

José Sales de Souza, José Tocantins dos Santos, Joseli de Macedo Bezerra, Juan Esteves, Juarez Vieira dos Santos, Juliana Freitas Lima, Jura, Kátia Lima, Kimiko Matsumoto, King´s Island Lodge, Lázaro Ronaldo R. Puglia, Leandro de Souza Filho, Leilton, Lenita Alves de Toledo, Leozildo Tabajara da Silva Benjamim, Letícia Brandão, Lia de Souza, Lucio Menezes (in memorian), Luis Barcelar, Luis Fernando Martini, Luiz Fernando Castro, Luiz Gataz Maluf, Luiz Martins Gonçalves, Luiz Roberto Martins, Magali Martucci, Manga, Manoel de Barros, Marcelo Menegoli, Marcelo Pacheco, Márcio Nancy, Marco Antonio de Oliveira Santos, Marcos Blau, Marcos Faerman, Maria, Maria Cecília F. de Souza, Maria de Fatima Seenhagen, Mariinha do Raso da Catarina, Marina Paiva Mattos, Mario Timiraes, Marisa, Mauri de Itatiaia, Maurício Nisi, Mercedes Lombardi (in memorian), Micinho, Milton Schmidt de Castro, Mob, Mobi, Mohomed Rajabally, Moisés Fonseca, Narciso de Andrade, Neide, Nième Guidon, Niele Becerra, Nivaldo da Barra Mansa, Noede Senna Léles, Noel, Norberto Neves de Souza, Odim Silva Paula Filho, Onete, Orlando Villas Boas (in memorian), Oswaldo Ferreira de Mello Jr., Otávio Rodrigues, Patrícia Case, Paul Gloss, Paulo Queiroz, Paulo Roberto Correia, Pedro Marinho, Piaba, Piauí Bandeira e Traíra, Rafael Resendiz, Raimundo Nonato da Silva, Regina, Regina Costa, Regina Feijó, Regina Grossi, Reginaldo Okada, Reinaldo Lourival, Renato Alves Silva, Renato Archer, Renato Grim, Reynier Romena, Riba Correia, Ribamar do Ariaú, Ricardo Antunes Araújo, Ricardo Borges Ferrão, Ricardo Ditchun, Ricardo Moraes Witzel, Ricardo Young, Robério Braga, Roberto Bulbol, Roberto Leme Klabin, Roberto Mourão, Robson Guimarães, Robson Oliveira, Rogério Botasso, Rogério dos Santos Pereira Braga, Ronaldo e Noel, Ronaldo Moraes, Ronaldo Silva Matos, Rosalia Gudim, Rosália Lima, Rubens Fernandes Jr., Salvador Ramos, Sátiro e Pradel do Una do Prelado, Sebastião de Souza e Silva, Sebastião Lara, Selma Rodrigues, Seu Nildo, Sérgio Maluly, Sérgio Rangel Pinheiro, Sérgio Sérvulo da Cunha, Sérgio Vanini, Silvio Vieira, Silvio Vince Esgalha, Simonetta Persichetti, Sonia Archer, Tetsuo Segui, Tim Moulton, Tracy Williams, Ulisses, Vagner de Lima Moreira, Vânia, Vandico da Juréia

**Dados Internacionais de Catalogação na Publicacão (CIP)**
**(Câmara Brasileira do Livro, SP, Brasil)**

Alcântara, Araquém, 1951 –
   Paisagem Brasileira = Brazilian landscape /
Araquém Alcântara ; versão para o inglês/English version
Charles Holmquist. – São Paulo :
Metalivros, 2010. – (Série Olhar Brasil)

   1. Paisagem – Fotografias – Brasil I. Título. II. Título:
Brazilian landscape. III. Série

03-1712                                        CDD-779.3681

**Índices para catálogo sistemático:**

1. Brasil : Paisagens : Fotografias :  779.3681
2. Paisagem Brasileira : Fotografias :  779.3681

uma publicação published by Metalivros
Rua Alegrete, 44  cep 01254-010  São Paulo  SP
tel/fax: (55 11) 3672.0355  metalivros@metalivros.com.br
http://www.metalivros.com.br